thèmes et textes

collection dirigée par Jacques Demougin

15.

D1247753

parus dans la collection :

G. Durozoi
ARTAUD
l'aliénation et la folie

Jacques Dubois
L'ASSOMMOIR
société, discours, idéologie

P. Barbéris
BALZAC
une mythologie réaliste

Cl. G. Dubois
LE BAROQUE
profondeurs de l'apparence

A. Stegmann
LES CARACTÈRES DE LA BRUYÈRE
bible de l'honnête homme

R. Horville
DOM JUAN DE MOLIÈRE
une dramaturgie de rupture

A. Goulet
LES CAVES DU VATICAN D'ANDRÉ GIDE
étude méthodologique

J. Bessière
FITZGERALD
la vocation de l'échec

H. Béhar
JARRY
le monstre et la marionnette

H. Coulet et M. Gilot
MARIVAUX
un humanisme expérimental

G. Idt
LE MUR DE JEAN-PAUL SARTRE
techniques et contexte d'une provocation

Ph. Renard
PAVESE
prison de l'imaginaire, lieu de l'écriture

M. et M.-R. Le Guern
LES PENSÉES DE PASCAL
de l'anthropologie à la théologie

P. Barbéris
LE PÈRE GORIOT DE BALZAC
écriture, structures, significations

J.-M. Gardair
PIRANDELLO
fantasmes et logique du double

A. Niderst
LA PRINCESSE DE CLÈVES
le roman paradoxal

M. Butor et D. Hollier
RABELAIS
ou c'était pour rire

P. Barbéris
RENÉ DE CHATEAUBRIAND
un nouveau roman

G. Mouillaud
LE ROUGE ET LE NOIR DE STENDHAL
le roman possible

G. Durozoi et B. Lecherbonnier
LE SURRÉALISME
théories, thèmes, techniques

P. Demarolle
VILLON
un testament ambigu

NOMBREUX AUTRES TITRES EN PRÉPARATION

le théâtre médiéval

profane et comique

la naissance d'un art

par

JEAN-CLAUDE AUBAILLY
Docteur ès-lettres
Maître de conférences
au Centre Universitaire
de Perpignan

Librairie Larousse
17, rue du Montparnasse et 114, boulevard Raspail, Paris-VIe

596518

Harriet Irving Libr
SEP 19 1978
University of Ne

© Librairie Larousse 1975.

Librairie Larousse (Canada) limitée, propriétaire pour le Canada des droits d'auteur et des marques de commerce Larousse. - Distributeur exclusif au Canada : les Éditions Françaises Inc., licencié quant aux droits d'auteur et usager inscrit des marques pour le Canada.

ISBN 2-03-035028-1

Table des matières

Qu'est-ce que l'art dramatique? C'est la communication d'une image de la vie en action, projetée à l'état naissant dans l'espace présent et le temps actuel devant un rassemblement humain par un imagier dénommé acteur, maître du jeu.

Herman Teirlinck

Introduction

Vouloir présenter en quelques centaines de pages un panorama de la production théâtrale médiévale, en essayant de cerner sa genèse et de la saisir dans son devenir, peut paraître une gageure irréalisable, même si l'on se limite à l'étude de ses manifestations non religieuses. Songeons en effet que c'est sur près de cinq siècles, soit la moitié de notre histoire littéraire, que s'étend la période médiévale marquée par des textes écrits : de la *Vie de Saint Alexis* (vers 1040) et de *la Chanson de Roland* (vers 1100) au *Pantagruel* (1532) et *Gargantua* (1534) de Rabelais que l'on peut considérer comme le dernier grand auteur médiéval [1]. N'oublions pas que c'est en 1543 que meurt Copernic dont les travaux avaient brisé définitivement les cadres de la pensée médiévale. Dates plus intéressantes pour notre propos, c'est en 1548 que sont interdites les représentations des *Mystères,* et l'année suivante, en 1549, que, dans sa *Défense et illustration de la langue françoyse,* Du Bellay prêche en faveur d'une restauration du théâtre des Anciens. Peut-on, dès lors, prétendre connaître la totalité d'une production étalée sur tant de siècle dont rien ne nous autorise à penser qu'ils ont été moins féconds que ceux qui les ont suivis?

D'autre part, ce n'est qu'en 1454 que parut à Mayence le premier ouvrage imprimé : une *Bible.* Dans les quatre siècles précédents, la transmission des œuvres s'était

1. Cf. M. Bakhtine : *l'Œuvre de François Rabelais et la culture populaire au Moyen Age et sous la Renaissance,* Gallimard, 1970.

effectuée oralement ou par manuscrits. Or, même si l'on admet que de nombreux manuscrits ont vraisemblablement été détruits ou perdus, peut-on penser qu'on ait utilisé un mode de conservation aussi coûteux — et que son caractère « confidentiel » rendait d'ailleurs souvent inopérant pour assurer la survie des textes — pour des œuvres bien souvent improvisées à la demande et qui devaient être considérées comme de simples bouffonneries destinées à amuser, voire pour la plupart des textes dramatiques profanes?

A la difficulté de connaître une production très étalée dans le temps s'ajoute donc celle, plus prosaïque, de pouvoir en imaginer l'ampleur — et la nature — par les traces réduites qui sont parvenues jusqu'à nous. Possédons-nous un échantillonnage suffisant et représentatif pour pouvoir en parler sans risque d'erreur? Nous en sommes bien souvent réduits à ne pouvoir formuler que des hypothèses.

Une dernière difficulté surgit enfin lorsque l'on cherche à isoler un théâtre « comique » du reste de la production dramatique médiévale, car en ses débuts, tout au moins, « le théâtre médiéval ne se caractérise nullement par une distinction nette entre le tragique et le comique. S'il faut établir une ligne de démarcation, elle passe entre le théâtre religieux issu de la liturgie et des représentations paraliturgiques [...] et le théâtre non religieux, autrement dit profane [2]. » Ajoutons à cela le fait que l'un et l'autre ne sont pas apparus simultanément mais successivement, les manifestations du premier précédant celles du second de plus d'un siècle [3] : on imagine alors les abîmes de perplexité dans lesquels se plonge l'im-

---

2. J. Frappier : *le Théâtre profane en France au Moyen Age. XIIIe et XIVe siècles,* C.D.U., Paris, p. 1. Tous les critiques, de Petit de Julleville *(les Comédiens en France au Moyen Age)* à J. Frappier *(op. cit.)* et Omer Jodogne *(Recherches sur les débuts du théâtre religieux en France),* s'accordent à penser, comme l'écrit le dernier cité, que « le théâtre médiéval en Occident n'est pas un renouvellement du théâtre antique. C'est un nouveau théâtre dans toute la force du terme, une création ». Il est tout aussi unanimement admis que « le théâtre est né dans l'église grâce aux excroissances des textes liturgiques chantés qu'on a appelées des tropes » : il était donc à l'origine « un procédé d'enseignement auquel le clergé avait été amené à recourir par l'ignorance de la masse des fidèles et l'incapacité d'un grand nombre à en recevoir un autre » et qui, de ce fait, impliquait l'utilisation de la langue vulgaire.

3. On admet communément que les premières manifestations d'un théâtre religieux apparaissent au XIe siècle; mais il faut attendre les premières années du XIIIe siècle pour assister à l'apparition des premières pièces profanes, si toutefois on accepte de classer parmi celles-ci *le Jeu de Saint Nicolas.*

prudent qui tente d'élucider les mystères de l'origine et de la genèse du théâtre « comique »!

Il est néanmoins permis d'essayer de lever le voile en s'appuyant sur ce que le temps et l'histoire ont bien voulu préserver de cette antique production. Et dès l'abord, on est frappé par l'abondance et la diversité des textes de la seconde moitié du XVe siècle parvenus jusqu'à nous et qui semblent témoigner, au lendemain de la guerre de Cent Ans, d'une véritable floraison d'un théâtre comique, brutale et inorganisée à l'image de la composition de ces recueils constitués par des amateurs soigneux auxquels on doit ainsi la survie d'une partie de notre patrimoine littéraire. Seul parmi ceux-ci, le *Recueil La Vallière* nous est parvenu sous l'état manuscrit [4]. Il contient 74 pièces, *sermons joyeux, farces, sotties* et *moralités.* Les autres recueils sont imprimés : le *Recueil du British Museum* [5], qui présente 64 pièces (en général des *farces,* quelques *sotties,* huit *moralités* et un *mystère*); le *Recueil Cohen* [6], du nom de son savant éditeur, dont les 53 pièces sont presque toutes des *farces;* le *Recueil Trepperel* [7] qui comporte, parmi ses 35 pièces, seize *sotties* et cinq *farces,* et le *Recueil de Copenhague* [8] qui comprend 9 pièces réparties en *sermons, dialogues* et *farces.* Si l'on ajoute à ces recueils les pièces découvertes isolément, et publiées de même (par E. Picot, P. Lacroix, Ch. Samaran, P. Aebischer...), c'est d'un trésor de plus de deux cent cinquante pièces dont dispose le chercheur curieux et dont la seule lecture l'amène à constater que, pour cette période qui couvre approximativement les quatre-vingts dernières années du Moyen Age (1450-1530), la production théâtrale profane présente un caractère populaire marqué et franchement comique, et qu'elle se diversifie en un certain nombre de « genres » naissants, *sermon joyeux, monologue,*

---

4. B. N., Ms fr 24341. Édité par Le Roux de Lincy et Fr. Michel sous le titre *Recueil de farces, moralités et sermons joyeux,* Paris, 1837, 4 vol.
5. Édité par Viollet-le-Duc : *Ancien Théâtre français,* Paris, 1854-1857, vol. I à III.
6. G. Cohen : *Recueil de farces inédites du XVe siècle,* Cambridge (Mass.), The Medieval Academy of America, 1949.
7. E. Droz : *le Recueil Trepperel,* t. I : *les Sotties,* Paris, 1935; t. II : *les Farces,* Genève, 1961.
8. E. Picot et Chr. Nyrop : *Nouveau recueil de farces françaises des XVe et XVIe siècles,* Paris, 1880.

dialogue, farce, sottie, moralité, dont chacun tend vers une unité de ton et une structure spécifique.

Qu'en est-il maintenant lorsque notre curieux remonte le temps? S'il n'est pas trop surpris de constater que l'abondante production de l'après-guerre est précédée d'une longue période de silence qui correspond à la durée de la guerre de Cent Ans, son étonnement s'accroît devant la maigre moisson que lui offrent les siècles antérieurs : rien pour le début du XIVe siècle, si ce n'est la *Farce de Maître Trubert et Antroignart* d'Eustache Deschamps, que les trop nombreux vers narratifs qu'elle contient font considérer beaucoup plus comme un *fabliau* déclamé en utilisant le procédé du changement de voix que comme une œuvre théâtrale. Quant au XIIIe siècle, les œuvres qu'il nous a laissées — si l'on excepte *le Jeu du garçon et de l'aveugle,* très court fragment de 265 vers qui n'est peut-être qu'un dialogue récité avec changement de voix par un seul jongleur, et *Courtois d'Arras* qui présente quelques vers narratifs — se réduisent à trois, dues à deux auteurs arrageois, Jehan Bodel et Adam de la Halle : ce sont *le Jeu de Robin et Marion* et *le Jeu de la Feuillée,* écrites par le second dans la deuxième moitié du siècle, et *le Jeu de Saint Nicolas* composé par le premier et joué à Arras au tout début du siècle. Mais, outre le fait que tous les critiques ne s'accordent pas pour classer cette dernière pièce parmi les œuvres profanes, on ne peut qu'être frappé par la différence de nature qui oppose le théâtre du XIIIe siècle à celui de l'après-guerre et que d'ailleurs résument les titres des pièces : *jeu* d'une part et *farce, sottie* ou *moralité* de l'autre. Les *jeux* sont en effet des pièces complexes caractérisées avant tout par le mélange des tons et la variété des sujets et des thèmes traités [9], à tel point qu'il est difficile de voir en eux les ancêtres des pièces comiques de la fin du XVe siècle.

Aussi, compte tenu de cette constatation et du maigre résultat de sa moisson, le chercheur se sent-il contraint, pour alimenter son dossier, de faire une incursion dans la littérature para-théâtrale de ces siècles qui ont précédé la guerre,

---

9. Ils sont, nous le verrons, des mises en scène littéraires et non pas, comme la *farce* ou la *sottie* du XVe siècle, une re-création scénique de la réalité vécue ou pensée.

dans le genre comique et populaire du *fabliau.* Il est vrai que ce sont là des œuvres narratives, mais, comme l'a montré E. Faral dans sa thèse sur *les Jongleurs en France au Moyen Age* [10], elles présentent pour la plupart un caractère mimique et dramatique accusé qu'elles doivent au mode oral de leur transmission. Or, déclare E. Faral, « le mime littéraire appartient au théâtre. Il se distingue du drame proprement dit moins par la nature de ses sujets que par la façon de les traiter et de les représenter. Son objet est l'imitation de la réalité par le geste et la voix, sans le recours aux procédés d'une mise en scène complète et régulière. » Fort de cette affirmation et de la parenté d'esprit et de matière qu'il constate entre le *fabliau* du XIIIe siècle et la *farce* du XVe, le chercheur peut donc croire son dossier complet, son problème de filiation résolu et le pont établi par-dessus les années creuses de la guerre de Cent Ans. Or, c'est là qu'il lui faut redoubler de vigilance et faire preuve d'esprit critique car, comme le remarque O. Jodogne,

> encore faut-il s'entendre sur ce qu'est le théâtre. Le drame évoque l'action et c'est avec raison qu'on l'a appelé *jeu, spiel, spel, funzione, auto.* Mais l'action ne suffit pas à distinguer le drame du roman, pas plus que le décor ou même des individus parlant et se mouvant sur des tréteaux ne convertissent le divertissement en théâtre. Le narré ne suffit pas et non plus la mimique. Ce qui est le caractère exclusif du drame, c'est la désincarnation des personnes dites acteurs, assumant le rôle d'individus autres qu'eux-mêmes. C'est ce que, par un mot commode, les Anglais désignent *impersonation* et que je me permettrai de transposer en « personnation ». A l'action, indispensable sans doute, la personnation confère cette fiction qui convertit en art ce qui risquerait d'être compris comme un événement réel. La personnation délimite le théâtre, nous dit en quoi il se distingue du spectacle, du pur dialogue, quoique le genre les comprenne tous les deux. Le décor même n'est pas indispensable; on l'a prouvé assez de nos jours.

---

10. Paris 1910; cf. aussi E. Faral : *Mimes français du XIIIe siècle,* Paris 1910.

Ces quelques remarques très générales permettront au lecteur de mieux comprendre les divergences, voire les querelles, qui se sont élevées entre les critiques lorsqu'ils ont voulu éclaircir le mystère des origines et de la naissance du théâtre comique. L'un des premiers à prendre position sur ce problème fut Joseph Bédier qui, en 1890, dans un article de la *Revue des Deux-Mondes* intitulé *les Commencements du théâtre comique en France,* prétendait que le théâtre comique s'était détaché progressivement du théâtre religieux, les scènes comiques que ce dernier comportait se développant indépendamment pour vivre de leur vie propre. Et Bédier présentait Adam de la Halle comme l'auteur qui « le premier et le seul de son temps émancipa le théâtre de ses attaches liturgiques et trouva les premières comédies françaises », en précisant cependant — pour éviter toute contestation — que c'était dans le théâtre d'Arras « qui [n'avait] plus guère de religieux que le nom qu'il [fallait] chercher la source d'inspiration d'Adam de la Halle. » Mais cette première argumentation prêtait le flanc à la critique, car le développement des scènes comiques — fondées sur une observation réaliste du quotidien — est particulièrement sensible dans les *miracles* et surtout les *mystères,* c'est-à-dire au moment où existait déjà un véritable théâtre comique indépendant. C'est là ce qu'en 1910 E. Faral reprochait à Bédier. Pour Faral, une production comique intense a pu exister dès la première heure sans que rien en ait survécu et « il est plus vraisemblable [de penser] que l'esprit comique a agi du dehors sur le drame religieux et que des scènes plaisantes se sont glissées dans les *mystères* parce qu'elles vivaient ailleurs déjà de leur vie propre. » Par suite, Faral proposait de rechercher l'origine du théâtre profane comique dans la « tradition ininterrompue [qui] lie les comédiens du XVe aux jongleurs du XIIIe siècle », lesquels ont perpétué en leur temps « l'esprit mimique » illustré par les mimes de la décadence romaine. Si séduisante qu'elle fût, cette nouvelle proposition ne rencontra pas l'agrément de Petit de Julleville qui objecta que non seulement la tradition du théâtre s'était interrompue depuis longtemps à l'époque carolingienne, mais que, de plus, la production des jongleurs ne présentait aucun morceau qui offrît nettement un caractère dramatique, et que, s'il était possible d'admettre que les jongleurs étaient les ancêtres des comédiens, il était pour le moins curieux de constater que l'on ne trouvait aucun texte français de comédie avant le XIIIe siècle. Ce sont sans doute ces objections qui ont poussé G. Cohen à rechercher l'origine du théâtre comique français dans la comédie latine du XIIe siècle, dont il a retrouvé une quinzaine de pièces qui puisent leur inspiration chez Plaute et surtout Térence. Mais cette troisième hypothèse n'était pas plus solide que les deux précédentes car les quinze pièces sur lesquelles G. Cohen appuie son argumentation proviennent toutes du même foyer d'humanisme que fut au XIIe siècle la région d'Orléans, Blois, Vendôme et Chartres; et la plupart sont des pièces licencieuses, écrites par des clercs cultivés et des gens d'église — sorte de « théâtre en liberté » à usage interne —, qui entremêlent récit et dialogue au point que l'on peut se demander si elles ont été effectivement jouées. Ce sont en fait, comme le fait remarquer J. Frappier, des « fabliaux latins » qui appartiennent au genre de la « comoedia », au sens que Jean de Garlande prête encore au terme dans sa *Poetria,* et la ressemblance de leurs thèmes avec ceux de la comédie en langue vulgaire est des plus minces.

Ainsi le débat n'était-il pas clos. Mais suffit-il pour ce faire d'adopter, avec J. Frappier, une solution de compromis qui consiste à admettre que le théâtre profane est né spontanément sous diverses influences dont celles qui ont été mises en lumière par J. Bédier, E. Faral et G. Cohen? Ce n'est là, pensons-nous, qu'une manière élégante de refuser de rompre quelques lances dans un combat que l'on juge hasardeux et, pour notre part, nous regrettons que J. Frappier n'ait pas plus approfondi le discret appel qu'il lançait à la critique sociologique lorsqu'il écrivait : « on pourrait soutenir que l'apparition du théâtre comique est liée au progrès d'une vie et d'une civilisation urbaines, alors que le théâtre religieux, dans sa forme embryonnaire, le drame liturgique, est un produit des couvents et des cloîtres. »

Est-ce à dire que cette modeste étude a la prétention de lever définitivement le voile du temps et de percer le mystère des origines du théâtre comique, de réussir là où des maîtres éminents ont échoué? En réalité, nous n'avons pas d'autre ambition que d'ajouter quelques fils à cette toile de Pénélope que tisse inlassablement la critique littéraire et nous estimerons avoir pleinement atteint notre but si ces quelques pages réussissent à susciter chez certains l'envie de retourner aux sources et de découvrir ces textes qui, selon l'expression de Pierre Le Gentil, ont le mérite de prouver qu'en ces temps anciens « on savait parfois se réjouir franchement, sinon avec délicatesse, d'être en bonne santé ».

1

Le théâtre profane avant la guerre de Cent Ans

Les œuvres dramatiques

Les premières œuvres arrageoises

Le Jeu de Saint Nicolas de Jehan Bodel, représenté à Arras dans les toutes premières années du XIIIe siècle, est parmi les œuvres que nous connaissons, celle qui suit immédiatement *le Jeu d'Adam* qui marquait « l'installation d'un drame liturgique trop développé et devenu un peu profane, au porche de l'église ». Pourtant on ne peut trouver beaucoup de similitudes entre ces deux *jeux :* alors que le second est sans conteste un drame pieux par excellence, le premier continue à embarrasser la critique car, comme le déclare, après tant d'autres, I. Siciliano, « dans *le Jeu de Saint Nicolas* il est impossible de dire où finit le sacré et où commence le profane, il est impossible de distinguer la farce du drame pieux [1]. »

Qu'en est-il exactement? Et peut-on, après avoir lu la pièce, affirmer comme Petit de Julleville, que « toute espèce d'unité est inconnue à Jean Bodel »? Les différentes éditions nous présentent un texte fractionné arbitrairement en scènes ou tableaux (33 pour Pauphilet, 27 pour Jeanroy) ignorant ainsi superbement qu'au Moyen Age l'unité scénique est,

1. I. Siciliano : *François Villon et les thèmes poétiques du Moyen Age,* Paris, Nizet, 1967.

comme le rappelle A. Henry [2], la *mansion,* qui correspond à un décor — le spectateur admettant que le déplacement d'une mansion à une autre traduit fictivement l'écoulement d'un temps compressible et extensible à volonté. Si l'on examine la pièce en fonction de cette unité scénique, on s'aperçoit qu'elle se déroule en trois grands temps d'importance à peu près égale (et que l'on pourrait appeler « actes »), centrés autour de deux mansions principales [3] — le palais du roi d'Afrique et une taverne — et que, d'un temps à l'autre, se produit une concentration de l'action marquée par la réduction des déplacements.

Le premier temps — ou « acte d'exposition » destiné à créer une atmosphère et une situation — est centré sur le palais du Roi *(mansion 1)* et dominé par l'épique et le merveilleux : un messager, Auberon, vient prévenir le roi que les chrétiens ont envahi ses terres; le souverain s'emporte alors contre le dieu Tervagan mais, suivant en cela les conseils de modération de son sénéchal, il s'excuse et sollicite un oracle dont l'ambiguïté, interprétée par le sénéchal, le ramène à sa fureur première; il envoie alors Auberon convoquer l'arrière-ban *(mansion 1).* Après une halte à la taverne *(mansion 2),* Auberon s'acquitte de sa mission *(mansion 3)* et revient au palais, bientôt suivi de quatre émirs chargés de présents qui se mettent au service du roi, lequel les exhorte à la guerre sainte *(mansion 1)* pour laquelle ils partent sur-le-champ. En voyant les païens se diriger vers leur camp *(mansion 4),* les chrétiens se recommandent à Dieu. Un ange leur apparaît alors pour leur annoncer leur fin prochaine et leur admission en paradis. De fait, tous sont exterminés sauf un vieux prud'homme qu'à leur étonnement les païens ont trouvé en train de prier, à genoux, devant une petite statuette. Et, pendant que l'ange apparaît une nouvelle fois sur le champ de bataille pour louer le sacrifice des chrétiens et réconforter le survivant, les païens décident de ramener au roi ce curieux prisonnier. Comme le roi s'étonne *(mansion 1),*

---

2. Albert Henry : *le Jeu de Saint Nicolas,* Presses Universitaires de Bruxelles, 1965.
3. On pourrait ainsi schématiser le décor fait de *mansions* juxtaposées : *mansion 4 :* un champ de bataille; *mansion 1 :* le palais du roi d'Afrique qui comprend : a) une geôle, b) une salle du trône avec la statue de Tervagan, c) une salle du trésor; *mansion 0 :* une rue; *mansion 2 :* une taverne; *mansion 3 :* le pays des Emirs.

le prud'homme lui enseigne les miracles de ce saint qu'il priait — saint Nicolas — et dont la statuette a le pouvoir de préserver des voleurs tous les trésors confiés à sa garde. Le roi décide donc de mettre le saint à l'épreuve et, pendant que le prisonnier est conduit au cachot où l'ange viendra le rassurer sur son sort, il fait ouvrir les portes de la salle du trésor, renvoyer les gardes et annoncer par la ville que son trésor, placé sous la seule garde d'une statuette de saint Nicolas, est à la disposition de tous ceux qui désirent se l'approprier.

Après ce premier temps qui se caractérise par une extraordinaire contraction du temps réel [4], l'action va se concentrer entre deux *mansions* — le palais et la taverne [5] — et se dérouler dans un intervalle de temps qui n'excède pas celui qui sépare le crépuscule de l'aube [6]. Le second « acte », qui se déroule presque entièrement dans la seconde *mansion,* est constitué de deux longues « scènes de taverne » symétriques que sépare la séquence du vol du trésor. Dans la première de ces deux scènes, nous assistons aux retrouvailles à la taverne de trois larrons, Pincedé, Cliquet et Rasoir, attirés par le *cri* que Raoulet a débité à la demande de son maître le tavernier. Les trois larrons, rendus joyeux par l'annonce que leur a faite Rasoir de l'abandon du trésor royal à la discrétion des voleurs, s'attablent et décident de jouer l'écot aux dés. Mais le jeu les conduit à la dispute et le tavernier doit les séparer avant de leur prêter un sac pour leur permettre d'effectuer le larcin auquel ils se sont déterminés. Après avoir vérifié que le roi est endormi *(mansion 1),* nos voleurs se précipitent dans la salle du trésor, remplissent leur sac et reviennent à la taverne *(mansion 2)* où de nouveau, rendus gais par le vin que le tavernier ne leur ménage pas, ils se livrent à une partie de dés enfiévrée qui dégénère en dispute comme la première. Le tavernier les sépare à nouveau et après qu'ils lui ont confié leur larcin, ils vont dormir en attendant le partage.

Le troisième et dernier « acte » qui ramène l'action dans

4. Et dont la technique s'apparente aux *ellipses* et aux *flash-back* du cinéma moderne — ce qui témoigne de la modernité de ce théâtre médiéval.
5. L'image et son double parodique.
6. Dès la première séquence dans la taverne, les voleurs se font apporter une chandelle; et tout se passe entre le coucher et le lever du roi.

la première *mansion,* le palais royal, obéit à une construction aussi nette en trois temps, dont le premier et le dernier, symétriques — et que sépare la restitution du trésor —, se résolvent par des dénouements inverses. En effet, le roi réveillé une première fois par son sénéchal, qu'un mauvais songe a amené à constater la disparition du trésor, envoie chercher le prud'homme pour lui signifier sa condamnation. Celui-ci ne réussit qu'à obtenir un répit jusqu'au matin et, de retour dans sa cellule, il invoque saint Nicolas. L'ange lui apparaît alors pour lui annoncer qu'il sera secouru. Et, de fait, dans la taverne *(mansion 2)* saint Nicolas apparaît aux voleurs endormis pour leur ordonner de restituer le trésor. Effrayés et expulsés par un tavernier en proie à la panique — mais qui n'oublie pourtant pas de garder les vêtements de nos larrons en paiement de leurs dettes — Pincedé, Rasoir et Cliquet rapportent le trésor et se séparent. Au palais *(mansion 1)* le roi, réveillé une nouvelle fois, mais par un songe heureux, apprend de son sénéchal que le trésor est revenu et semble avoir doublé. Le roi fait alors délivrer le prud'homme et c'est la conversion générale des païens, suivie de la destruction de la statue de Tervagan.

Telle se présente cette pièce dont, au moins pour les « actes » II et III, on ne peut nier l'unité dramatique profonde — au sens des unités classiques — et la construction rigoureuse. En fait, seul le premier « acte » confère à la pièce un caractère de disparate et donne de plus l'impression d'avoir été surajouté, car la préparation qui conduit à l'incarcération du prud'homme n'était pas dramatiquement utile. Pourquoi Bodel, dans ces conditions, a-t-il donné tant d'importance à ce premier temps et tant appuyé sur l'aspect épique — et merveilleux — de l'action? La réponse se trouve, selon nous, dans la genèse de la pièce et dans le contexte historique de sa représentation. Il est en effet vraisemblable de penser que la pièce a été commandée au poète par une confrérie pour célébrer la fête de son saint patron [7], et, pour répondre à

7. Saint Nicolas était très populaire en Picardie et en Flandres où de nombreuses confréries de clercs l'avaient pris pour patron : il était le saint des voyageurs, des marins, des jeunes filles qui faisaient le « pèlerinage de mariage », des clercs et des écoliers. Dès le XIIe siècle, on trouve de nombreux jeux de Saint Nicolas en latin joués par et pour des clercs. Jean Bodel s'intègre à une longue tradition.

une telle commande, Bodel a dû avoir recours à des sources dont, sans doute, *la Vie de Saint Nicolas* en français du Ms 307 de la bibliothèque d'Arras — ou celle de Wace. D'ailleurs, le *Prologue* du texte, qu'à juste titre A. Henry croit apocryphe, en témoigne : Bodel n'a fait que mettre en scène une légende connue (cf. v. 7-8; 61; 79). Mais Bodel n'en a pas moins fait subir des modifications à ses sources dont la plus significative est sans doute d'avoir situé l'action en pays sarrasin. Est-ce par souci de simplification scénique? En fait l'explication peut être donnée par la date de la composition — ou de la représentation : la pièce a été écrite dans l'élan de ferveur suscité par la préparation de la quatrième croisade [8]. Il est donc vraisemblable de penser qu'en consacrant le tiers de sa pièce à rappeler un désastre subi par les chrétiens ainsi que la mobilisation pour la guerre sainte pratiquée par les Sarrasins, Bodel voulait rendre un hommage aux chrétiens morts en Espagne, au Portugal ou en Palestine lors de la précédente croisade afin de montrer que leur sacrifice n'avait pas été vain, et de galvaniser le courage des nouveaux croisés. De là le caractère épique et merveilleux de ce *jeu* qui a pu faire croire à certains critiques, comme P. R. Vincent, qu'il n'était qu'une chanson de geste portée à la scène et à laquelle on aurait intégré la légende du saint pour répondre à la finalité première de la représentation.

Compte tenu de ces faits — sources de la pièce et contexte historique de la représentation —, il devient donc nécessaire, pour savoir si *le Jeu de Saint Nicolas* doit ou non être tenu pour la première pièce profane, de reconsidérer le problème du merveilleux — épique et chrétien — et, en quelque sorte, de déterminer si, dans ce *jeu,* les personnages surnaturels jouent un rôle analogue à celui de Satan ou de la Vierge dans les *miracles,* qui, eux, sont sans conteste des drames religieux [9].

L'élément merveilleux se résume en fait ici à quelques séquences très courtes : quatre « apparitions » de l'ange, une de saint Nicolas, quatre vers prononcés par Tervagan, à

8. N'oublions pas que c'est justement dans le Nord, ainsi qu'en témoigne Villehardouin, que Foulques prêcha la croisade à la fin de 1199 et dans les premiers mois de 1200.
9. Cf. *le Miracle de Théophile* de Rutebeuf.

quoi on peut ajouter les songes du roi et du sénéchal et la conversion générale des païens. L'ange apparaît en effet deux fois sur le champ de bataille et deux fois au prud'homme dans sa prison. La première fois, il s'adresse aux chrétiens qui se préparent au combat et c'est la seule fois — à l'inverse de ce qui se produit dans les *miracles* — où un véritable dialogue s'instaure entre des humains et un être surnaturel; mais cela s'explique : tous les chrétiens *vont mourir* et c'est leur *mort* ainsi que leur *récompense* que vient leur annoncer l'ange [10]. Nous n'avons là que l'expression d'une croyance profondément enracinée dans la mentalité médiévale — et qu'illustrent de nombreuses *chansons de geste* —, selon laquelle la mort est annoncée à chaque individu par un ange qui vient chercher son âme pour l'emmener au jugement dernier [11]. On ne peut donc voir dans cette première apparition qu'un aspect particulier du « réalisme » médiéval que renforce l'esprit de croisade. Cette impression est confirmée par les trois autres interventions de l'ange. La seconde fois, il s'adresse aux morts dont il fait l'éloge, mais le prud'homme survivant ne le voit pas et ne dialogue pas avec lui : on assiste à deux soliloques, le prud'homme invoquant saint Nicolas et l'ange se contentant de prédire une heureuse issue à ses tourments. De la même manière, les deux apparitions de l'ange au prud'homme, dans sa prison, se soldent par des soliloques : lorsque le roi après la restitution du trésor fait appeler le prud'homme, celui-ci tremble pour sa vie; c'est donc qu'il n'avait pas entendu la voix de l'ange qui, dans la prison, lui déclarait : « Sains Nicolas pourchace ta delivrance. » L'ange a donc un simple rôle d'annonciateur — une *voix off* qui évite l'octosyllabe; sa fonction dramatique est analogue à celle des songes du roi et du sénéchal.

Qu'en est-il maintenant de l'apparition de saint Nicolas? Réelle dans les *Vies* du saint, elle est le sujet même de la pièce. Or Bodel la réduit à une très courte scène dans laquelle Pincedé est le seul à engager le « dialogue » avec le saint; de plus, c'est en pleine nuit que le saint « apparaît »

10. Dès cet instant, ils ne font déjà plus partie du monde des vivants.
11. Nous retrouvons ce thème dans *la Farce du meunier* d'André de la Vigne.

aux voleurs profondément endormis et en train de cuver leur vin : Pincedé n'aurait-il pas été en proie à un cauchemar qui l'aurait fait parler dans son sommeil, le réveillant et effrayant du même coup ses comparses tirés brutalement de leur inconscience vineuse et mouvementée? Bodel est assez habile pour laisser planer le doute à ce sujet, car il doue Pincedé d'une psychologie propre à justifier une telle explication. Toutes les répliques du personnage, dès son apparition en scène, nous le présentent comme un ivrogne invétéré. De plus, lorsque Rasoir arrive à la taverne et commande à boire pour tous, la seule remarque qu'arrache à Pincedé cette générosité est « cis a songié escat » (« il a rêvé d'un trésor ! »), logique toute personnelle qui laisse penser que notre ivrogne est lui-même sujet à rêver. Il est aussi impulsif, coléreux — chaque fois c'est lui qui provoque les disputes — et ne sait pas se dominer : par suite, il se montrera, notamment au moment du départ pour le vol, craintif, anxieux et superstitieux. Enfin, au moment du vol, Rasoir met la main sur *cet cornu menestrel* dont il rappelle qu'il a la garde du trésor, mais il refuse, comme Cliquet le lui suggère, d'emporter l'écrin qui, sans doute, contient la statuette : c'est donc Pincedé qui, pour montrer sa force, l'ajoute à sa charge. Nul doute que ce poids physique et moral ne l'ait éprouvé et si, de retour à la taverne, il s'enivre pour oublier sa fatigue et sa peur rétrospective, il est fort possible d'admettre que, dans son sommeil agité, son subconscient l'ait fait dialoguer avec le *cornu menestrel* qu'il avait tenu lui-même à ramener. D'ailleurs, au moment de restituer le trésor, il déclare qu'il a été « enchanté ».

Ainsi, en une époque où la superstition appartenait au quotidien, où une foi profonde et naïve portait à croire réelles les légendes hagiographiques, Jean Bodel, en modifiant ses sources écrites, en préparant la prétendue apparition de saint Nicolas par un contexte explicatif que ne désavoueraient pas les recherches les plus modernes de la parapsychologie, se montre-t-il un observateur attentif du plus pur réalisme quotidien [12]. D'ailleurs les autres éléments

12. Sa conception du *miracle* n'est pas éloignée de celle que l'on trouvera chez saint Thomas d'Aquin.

« merveilleux » de la pièce plaident en ce sens. Les quatre vers de jargon prêtés à Tervagan à la fin de la pièce ne sont qu'un coup d'œil ironique et complice, et l'oracle rendu au début de la pièce par l'idole qui rit et pleure simultanément n'est présenté que comme une illusion d'optique, une vision subjective du roi et de son sénéchal : Tervagan n'est pour Bodel qu'un élément comique, une idole de matière brute et inanimée. Les songes du roi et du sénéchal s'expliquent tout aussi rationnellement : le second, responsable du trésor, ne peut passer qu'une nuit inquiète et agitée; quant au roi, s'il n'a pas immédiatement condamné le prud'homme après le vol, c'est que sa psychologie rudimentaire lui laissait espérer un gain et son rêve n'est qu'une manifestation de cet espoir. Enfin, lorsque le sénéchal constate que le trésor est revenu à sa place, la joie qu'il en éprouve, et qui succède au désarroi profond ressenti peu de temps auparavant, lui donne par contre-coup l'impression toute subjective que le trésor a doublé (« ce m'est a vis qu'il est doublés »). Mais le roi, lui, se contente de dire au prud'homme que le trésor est revenu. La conversion du roi se justifie par l'impossiblité dans laquelle il se trouve d'expliquer le retour de son trésor et celles des émirs se font sur ordre. Il n'y a donc pas dans ce texte, comme dans les *miracles,* interaction entre le plan humain et le plan surnaturel. Dans l'esprit du temps et dans celui du fin psychologue qu'est Bodel, *le Jeu de saint Nicolas* est une pièce *entièrement profane.*

Si on laisse de côté le souffle épique qui anime l'œuvre et qui, nous l'avons dit, s'explique par le contexte historique de la représentation, quelles sont les caractéristiques de cette première pièce profane et sur quoi Bodel fait-il porter son effort? La comparaison du *Jeu* à ses sources — le *Prologue* — le montre clairement : d'abord une nette volonté de réalisme et une recherche d'un comique très fin, d'une sorte d'humour, qui s'appuie sur l'allusion, la parodie et les correspondances internes.

Volonté de réalisme et d'actualisation : nous n'en donnerons qu'un seul exemple. Dans le *Prologue,* le vol est décrit en deux vers :

Une nuit il troi s'assemblerent
Au trésor vinrent, si l'emblerent*.

* le volèrent

Or ces deux vers vont donner naissance, sous la plume de de J. Bodel à un « acte » entier — le second —, soit constituer le tiers de la pièce. Il y a donc là une volonté évidente de déplacer le centre d'intérêt, le plus important n'étant plus la restitution du trésor mais la préparation du vol, ce qui permet d'accorder plus de place à la peinture des hommes et des mœurs à travers ce lieu de prédilection qu'est la taverne, et que le biologiste Bodel examine comme un bouillon de culture. C'est une véritable tranche de la vie quotidienne qui se déroule sur la scène, avec ses coutumes (criée du vin; conformité des dés que le tenancier a fait « taillier par eschievins »), ses acteurs (truands en quête d'un mauvais coup qui partagent leur temps entre la boisson et le jeu, toujours prêts à la dispute et aux rixes; taverniers et clercs de tavernes cupides et trompeurs), ses événements les plus banaux et les plus vrais (marchandages et contestation de la qualité des produits offerts; scènes de jeu et disputes entre joueurs ivres). Et Bodel, non content de redoubler ces séquences réalistes, pousse très loin le souci du détail : il n'est pas, comme le fait remarquer A. Henry, jusqu'aux formules d'exhortation expressives, jusqu'aux expressions affectives du souhait, aux exclamatifs intensifs qui ne soient en rapport avec le contenu de l'énoncé, la situation du moment et la psychologie particulière des personnages. D'ailleurs Bodel excelle à rendre la multiplicité nuancée des caractères et des réactions psychologiques : il est un peintre de mœurs qui sait mettre en valeur l'influence des conditions sociales sur le comportement et la personnalité des individus [13]. C'est cette peinture réaliste qui doue l'action de vraisemblance et lui confère du même coup ce pouvoir comique qui naît de l'exacte répétition du vécu prosaïque.

Mais Bodel ne demande pas à la seule peinture réaliste de faire naître le rire; il sait utiliser toutes les ressources d'un art consommé pour laisser percer, même dans les passages les plus sérieux, sa vision humoriste du monde. Dans le premier « acte », dominé par l'épique, non seulement Bodel fait preuve d'un réalisme involontaire en nous présen-

---

13. Voir Ch. Foulon : *l'Œuvre de Jehan Bodel,* Paris, 1958.

tant les rapports sociaux entre les Musulmans comme une sorte de féodalité à l'européenne, non seulement les portraits du roi et de son sénéchal frisent la caricature, mais de plus, il semble avoir regroupé les noms païens — pourtant attestés à l'époque — selon une phonétique impressive qui déguise des intentions malicieuses : l'émir d'Orkenie règne sur un pays où les *kins* (les chiens) *esquitent l'or,* jeu de mots picard. Et des scènes comme celle de l'arrivée des émirs, qui se résout en une succession de *gabs,* prennent une coloration anti-épique qui contraste avec le respect de la tradition sur laquelle elles s'appuient. D'ailleurs, dans son ensemble, la matière épique est traitée avec un certain gauchissement comique qui est déjà satire : la proclamation du ban et la consultation des dieux, par exemple, sont conformes à la tradition épique mais, là comme ailleurs, le morceau rituel se clôt sur une brève pointe qui le ramène au niveau du quotidien et du prosaïque — c'est là une très fine utilisation du procédé du sérieux dégradé. Enfin, au niveau des correspondances, on ne peut rester insensible à la manière dont Bodel souligne un certain parallélisme entre le monde de la cour et celui de la taverne, à tel point que l'on peut se demander si le second n'est pas un double parodique du premier.

Ainsi, cette première pièce profane, malgré la nature de son sujet et la gravité des circonstances de sa représentation, semble-t-elle s'orienter résolument vers l'expression d'un humour souriant fondé principalement sur une vision réaliste du quotidien et une attitude légèrement critique à l'égard des genres littéraires qui avaient la faveur du moment. Deux critères qui tendent à faire d'elle la première pièce d'un théâtre bourgeois, mais d'un théâtre réservé à une élite, à ce patriciat cultivé dont la prospérité économique d'Arras avait permis très tôt la naissance et le développement.

La seconde pièce arrageoise [14], *le Jeu de Courtois d'Arras,* présente une genèse et un caractère en tous points

14. Certains critiques, comme E. Faral, n'ont voulu voir en elle qu'un monologue dramatique par suite de la présence de vers narratifs. Ces vers, au nombre de neuf (soit moins de 1,5 % de l'ensemble), peuvent être considérés comme de simples annotations scéniques.

semblables à ceux du *Jeu de saint Nicolas,* à tel point que certains critiques ont proposé de l'attribuer au même auteur. Elle n'est en effet qu'une adaptation dramatique de la parabole de l'enfant prodigue (*Évangile selon Luc,* XV. 11-32). Mais une rapide comparaison de la pièce et de sa source permet de mesurer l'originalité dont l'auteur a fait preuve et la nature du gauchissement qu'il a fait subir au texte saint. Ce dernier présente une certaine sécheresse; il situe l'action en quatre phrases qui se bornent à l'essentiel sans permettre de localisation précise : « Un homme avait deux fils. Le plus jeune dit à son père : Mon père donnez-moi la part de bien qui doit me revenir. Et le père leur partagea son bien. Peu de jours après, le plus jeune fils, ayant tout ramassé, partit pour un pays éloigné... » Or le texte dramatique développe cette situation initiale sur cent un vers qui témoignent d'un souci d'actualiser la donnée : l'action s'ouvre sur le décor d'une ferme d'Artois, à l'aube d'une journée de travail : le père réveille son fils aîné — personnage qui n'apparaît qu'à la fin dans le texte de l'*Évangile* — qui se plaint d'être moins favorisé que son cadet. On sent là une nette volonté d'individualiser psychologiquement les personnages, et notamment lorsque le cadet demande à son faible père sa part d'héritage « en derniers menus » car il n'éprouve que dédain pour le métier des champs, lui préférant le jeu de dés dans lequel il se pense expert. Cette recherche de réalisme devient évidente dans le temps suivant que l'*Évangile* résumait en deux moitiés de phrases : « ... où il dissipa son bien en vivant dans la débauche [...] celui qui a mangé ton bien avec des prostituées » et que l'auteur développe en une scène de taverne qui occupe la moitié de la pièce (v. 103-424). Comme dans le *Jeu de Saint Nicolas,* cette scène se déroule en deux séquences qui traduisent une progression : le naïf Courtois, attiré par le *cri* d'un garçon de taverne, pénètre dans l'établissement où deux prostituées lui jouent une scène de séduction et le font boire. Puis, pendant que Courtois s'absente un court instant pour soulager un besoin naturel, elles se mettent d'accord avec le tavernier pour abuser de ce trop naïf client. Dès le retour de celui-ci, elles réussissent à se faire confier sa bourse et à s'éclipser après une nouvelle scène de séduction. Il ne reste plus alors au tavernier qu'à se payer sur les habits du benêt. Il est évident que l'auteur n'a pas donné un tel développement à cette scène réaliste sans une arrière-pensée comique. Par contre, l'épisode suivant qui nous montre le malheureux Courtois contraint de garder des porcs et de partager leur nourriture n'est, proportionnellement au reste du texte, pas plus développé que dans l'*Évangile,* si ce n'est que l'auteur amplifie les regrets de Courtois en des sortes de stances qui témoignent d'un souci de dramatisation et de pathétique que ne comportait pas le modèle. Mais ces stances ont aussi un rôle fonctionnel : elles permettent de traduire scéniquement l'évolution psychologique de Courtois dans le temps et le cheminement dans l'espace qui le ramène à la maison paternelle, après la victoire de la faim sur l'orgueil. Enfin, dans le dernier temps, l'auteur dessèche le texte de l'*Évangile* dont la moitié était consacrée à décrire le retour et surtout l'accueil du fils prodigue : ce n'est plus ici qu'un final obligé et rapidement clos.

Ainsi, le gauchissement que l'auteur fait subir à sa source en transforme-t-il la signification car, alors que l'*Évangile* met l'accent, avec une volonté didactique certaine, sur la contrition qui permet au fils prodigue de « revenir à la vie », de rentrer dans le sein de Dieu, le jeu dramatique, lui, accorde plus d'importance à la peinture de la débauche, à la manière dont le vantard orgueilleux trouve sa punition dans la vie même. Il semble donc qu'en adaptant la parabole sacrée à la scène, l'auteur ait avant tout obéi à un triple souci de dramatisation, de réalisme et de comique. Souci de dramatisation qui se marque dans l'individualisation des personnages qui ont chacun leur psychologie propre, même lorsque leur fonction dramatique ne l'exigeait pas, comme c'est le cas pour les deux prostituées; souci de réalisme qui apparaît jusqu'au niveau du détail dans la description, à travers les dialogues, des décors, des costumes, des coutumes, des rapports familiaux et sociaux, dans le rôle accordé à l'argent et qui fait de la taverne le symbole du monde perverti de la ville, dans lequel l'orgueilleux Courtois trouve la punition qui le ramène, après un passage dans le purgatoire des basses besognes obligées, à ce monde pur de la campagne qu'il avait dédaigné. C'est marquer là, comme le faisait Bodel, le rôle des contingences sociales sur le comportement des individus. Pourtant, plus encore qu'une contestation de la civilisation urbaine, il faut voir dans le choix de la taverne la recherche d'un décor propre à susciter le rire car, outre les types comiques qu'elle implique, elle permet de rendre vraisemblable la réalisation de ce schéma comique qu'est celui du trompeur trompé : Courtois est berné là où il comptait régner en maître. Bien sûr, c'est un rire que nous pouvons juger cynique [15], mais n'illustre-t-il pas la théorie de Ribot pour qui l'évolution du rire selon les progrès de la civilisation se caractérise par le passage du rire féroce au rire intellectuel?

Il faut ensuite attendre la seconde moitié du XIIIe siècle pour qu'un autre Arrageois, Adam de la Halle, nous laisse une nouvelle œuvre dramatique, *le Jeu de Robin et Marion* dont, ainsi que l'a montré J. Dufournet [16], il réutilisera la structure dans une œuvre plus personnelle qui reste son chef-d'œuvre : *le Jeu de la Feuillée.* Comme pour les pièces précédentes, la genèse du *Jeu de Robin et Marion* s'appuie sur l'utilisation d'une forme littéraire préexistante qui est adaptée à la scène : ici la *pastourelle,* sorte de chanson à refrain qui conte les tentatives de séduction — souvent couronnées de succès — exercées par un chevalier à l'égard d'une bergère. Ce genre littéraire, très répandu dans le domaine de langue d'oc dès la seconde moitié du XIIe siècle, avait rencontré un certain succès en pays d'oïl et plus particulièrement en Artois dès le début du XIIIe siècle, comme en témoignent les pièces laissées par Jean Bodel, et, un peu plus tard, par Gillebert de Berneville, Jean Érart ou Guillaume Le Vinier. D'abord diffusée dans les *cours,* elle étendit sa vogue aux milieux urbains : c'est peut-être là une des raisons du fait qu'au Nord la bergère n'est violée — et satisfaite de l'être — que dans la moitié des pièces; dans l'autre moitié,

15. Même les *regrets* de Courtois ne sont pas sans témoigner d'une certaine ironie de l'auteur : c'est la faim, et non le remords véritable, qui le ramène au logis paternel!
16. Jean Dufournet : *Du Jeu de Robin et Marion au Jeu de la Feuillée,* in *Mélanges F. Lecoy,* Paris, Champion, 1973, p. 73-94.

elle repousse les avances du séducteur par fidélité à son ami Robin et parfois même se moque de son noble soupirant qui est mis en fuite par les bergers. Il n'est donc pas étonnant qu'Adam de la Halle ait cherché à faire preuve d'originalité en adaptant ce genre lyrique en vogue à la scène : il transforme en dialogue parlé le couplet narratif du poème lyrique et conserve pour la musique le principe des *refrains-centons* — avec citations de chansons. Il supprime ainsi la distance entre l'auditeur et les acteurs d'un drame dont la conception n'est pas sans faire songer, ainsi que le remarque H. Guy, aux intermèdes rustiques et aux ballets de certaines comédies de Molière. Mais, ce faisant, Adam de la Halle n'a-t-il pas été amené à faire subir à l'intrigue traditionnelle un certain gauchissement qui en renforce l'aspect dramatique?

La pièce s'ouvre sur la rencontre du chevalier et de Marion en trois reprises chantées qui donnent le thème développé dans la séquence. Le chevalier, qui part à la chasse au faucon, questionne Marion sur le gibier qu'elle a pu voir, mais il n'obtient d'elle que des réponses qui semblent témoigner d'une balourdise peu commune. Enhardi, il essaie alors de la séduire mais se voit repoussé par deux fois et s'éloigne mécontent. Arrive alors Robin, l'ami de Marion, auquel cette dernière raconte la tentative de séduction dont elle a été l'objet. Robin laisse éclater sa colère, mais un bon repas le calme et les deux amants ne songent qu'à chanter et à danser. Pour rendre leur joie plus complète, et pour prévenir un éventuel retour du chevalier, Robin décide d'aller prier Baudon, Gautier, Péronnelle et Huart de se joindre à eux. Ces derniers s'arment de fourches et de gourdins et accèdent à sa prière. Mais, pendant l'absence du berger, le chevalier est revenu faire à Marion une cour de plus en plus empressée qui est interrompue par la réapparition de Robin, lequel reçoit du séducteur une bonne gifle pour avoir essayé maladroitement d'attraper son faucon. Le chevalier semble d'ailleurs sur le point de parvenir à ses fins, puisqu'il enlève Marion sur son cheval sous les yeux d'un Robin qui se contente de gémir et ne retrouve son courage qu'à l'arrivée de Baudon et Gautier auxquels il conseille de passer à l'action ... en se cachant dans les buissons.

Heureusement, Marion sait résister au chevalier qui, découragé, l'abandonne. Elle peut alors retrouver Robin qui, sortant de son buisson, se déclare prêt à mettre en fuite son rival, ce qu'il aurait déjà fait, ajoute-t-il, si ses compagnons ne l'avaient retenu par trois fois! Nous sommes alors à peu près au milieu de la pièce (v. 429). L'intrigue empruntée à la *pastourelle* est parvenue à son terme, mais Adam de la Halle va prolonger son *jeu* en agrandissant le cadre en un vaste tableau champêtre inspiré de la chanson pastorale et de la *bergerie* [17]. Arrivent alors Huart et Peronnelle, et tous décident de s'égayer en jouant au *jeu de Saint Côme* (v. 445-493), puis au *jeu du Roi qui ne ment* (v. 494-596) et chaque fois le naïf et balourd Robin tente de profiter de la situation pour embrasser la rusée Marion qui fait mine de refuser. Mais le second jeu est interrompu par un incident : un loup enlève une brebis, ce qui est l'occasion pour le « vaillant » Robin de se mettre en valeur. On le récompense en le poussant dans les bras de Marion, et Baudon, Huart et Gautier en profitent pour déclarer leur flamme à Péronnelle qui repousse leurs avances. Tout le monde sort alors des victuailles et Robin part chercher des *corneurs*. Échauffé par la bonne chère, Gautier se permet quelques privautés à l'égard de Marion et quelques plaisanteries scatologiques qui hérissent Robin. Mais l'atmosphère se détend et tous quittent la scène en dansant la *trèche*.

Tel est ce jeu qui rénove le traditionalisme du sujet par un humour souriant et témoigne de l'art consommé d'un auteur qui a su présenter, dans un cadre réaliste, des personnages doués d'une psychologie propre, sans pour autant négliger la recherche comique. C'est en effet un des mérites d'Adam de la Halle (outre le fait d'avoir préservé le chevalier, comme les villageois et villageoises, de tout ridicule) que d'avoir placé son intrigue dans un cadre vraisemblable et vivant. Et cela, il le doit non pas tant au tableau champêtre qui compose la seconde partie ou à

---

17. La *bergerie* qui fait suite à la *pastourelle* apparaissait déjà dans les œuvres de ses prédécesseurs.

l'emploi de chansons d'actualité, mais surtout à la peinture des personnages secondaires qu'il prend sur lui d'intégrer à son intrigue et qui, en quelque sorte, servent de toile de fond et de repoussoir aux personnages principaux. Gautier, par exemple, est le type même du campagnard conforme à l'idée que pouvaient s'en faire les contemporains : il est brave (v. 370-371), emporté, moqueur (v. 426-427), querelleur (v. 474), paillard (v. 732-733), souvent grossier (v. 485 et 746) et toujours sûr de lui (v. 637-650). Et Baudon, Huart et Péronnelle ont des caractères tout aussi individualisés [18]. Mais c'est évidemment le portrait de Marion qui est le plus fouillé, le plus dense et le plus fin : vertueuse et pudique — elle n'apprécie ni les grivoiseries de Gautier ni les effusions un peu brusques de Robin —, elle sait au bon moment faire preuve de candeur et de franchise (v. 592-593); elle connaît la manière de rattraper une parole trop vive et de consoler un amant dont on vient de refréner la trop bruyante ardeur, ou d'éconduire un séducteur trop entreprenant en feignant la naïveté la plus lourde : il n'est que de voir la manière dont elle répond au chevalier en jouant sur les mots : « Veïs tu nul hairon? — Herens, Sire? Par me foi, non [19]. » Mais si le personnage de la rusée Marion donne vie et relief à cette intrigue traditionnelle, il sert surtout à mettre en valeur, par opposition, le personnage comique de la pièce, Robin. Innovation de l'auteur, il est un personnage « fonctionnel », car il permet à la fois de dramatiser l'action en lui donnant son caractère comique et de la prolonger en *bergerie.* Naïf et simple d'esprit [20], ardent et maladroit, timide et brusque dans ses effusions, jaloux autant que couard, Robin présente, de plus, tous les caractères de celui qui sera plus tard le *franc-archer :* vantard lorsque le danger s'est éloigné, il préfère la sécurité d'une cachette aux risques que lui ferait courir la défense de sa mie, et une gifle lui fait

18. C'est là une constante de ces premières pièces profanes que de préférer, même pour les personnages secondaires, des portraits précis — et donc vrais — à des silhouettes.
19. « As-tu vu quelque héron? — Des harengs, seigneur? Par ma foi, non. » C'est là un procédé qui sera fréquemment utilisé dans la *farce.*
20. En lui se concentrent tous les symboles de cette *folie* qui baigne la pièce : la pomme (v. 125), le fromage gras (v. 150), les *pois rostis* (v. 669).

croire sa dernière heure venue. Mais il possède l'art de transformer ses défaites en victoires et ses faiblesses en vertus : la gifle devient dans sa bouche un coup d'épée et sa lâcheté une ardeur refrénée par ses compagnons. Il est bien ce *soterel* dont Marion doit calmer les ardeurs et dont chacun s'amuse, sans méchanceté il est vrai; et c'est à travers lui qu'Adam de la Halle semble se livrer à une légère satire du monde paysan, sensible notamment dans l'épisode du loup. Dans les *pastourelles,* le loup enlevait une brebis et la bergère se donnait au chevalier si celui-ci la lui ramenait. Ici la fidélité de Marion implique que ce rôle incombe à Robin. Comment s'en acquitte-t-il? Il saisit une *massue* — signe distinctif du *fou* — et... attend que la brebis revienne seule pour s'empresser de la saisir à l'envers, *le cul devers le teste,* afin de la présenter à sa bien-aimée. Il y a sans conteste, dans ce traitement original et parodique du thème, une nette volonté de satire. Mais, malgré les *quiproquos* qui, dans la première partie, insistent sur la distance qui sépare les mondes de la chevalerie et de la paysannerie, malgré quelques petites pointes malicieuses ici et là, on peut soutenir que la satire ne s'exerce qu'aux dépens de Robin, personnage clef du comique de la pièce et qui apporte à celle-ci ce souffle de folie, source d'un comique qu'utiliseront abondamment, plus tard, les *sotties.*

Ainsi, les premières pièces de notre théâtre profane, apparues dans une région bien localisée, la ville d'Arras, présentent-elles une genèse en tous points comparables : toutes, elles consistent en une adaptation à la scène d'œuvres littéraires préexistantes, vies de saints, récits tirés des *Évangiles,* pastourelles. Mais toutes se caractérisent par un gauchissement des sources qui semble se justifier par un effort conscient pour atteindre un comique d'ordre dramatique, et qui se traduit par un parti pris d'actualisation fondé sur un souci évident de réalisme, sensible notamment dans l'utilisation des scènes de taverne et des scènes champêtres, et dans l'approfondissement de la psychologie des personnages dont les caractères sont parfaitement individualisés. Pourtant, une telle genèse — un art dramatique qui recherche ses intrigues dans la littérature narrative du temps et non directement dans la vie —, ainsi que la nature de son comique — appuyé plus souvent sur le clin d'œil complice, l'allusion, la parodie légère ou la satire que sur de véritables types — font de ce théâtre, qui par ailleurs pratique le mélange des tons [21], un spectacle réservé à une élite. Mais cela doit-il nous étonner? Le développement du théâtre profane à Arras au début du XIIIe siècle n'est-il pas à mettre en rapport avec l'extraordinaire développement économique connu par la ville et qui résultait de la prospérité de sa célèbre industrie du drap, de son commerce florissant et de la puissance de ses banques — qui pratiquaient le prêt à intérêt auprès des nobles comme des villes? Une telle expansion avait permis la naissance d'un patriciat de grands bourgeois qui, se comportant en mécènes, avaient favorisé une intense fermentation intellectuelle, tout en la canalisant à leur profit. Néanmoins, l'impulsion de départ étant donnée, on était en droit d'attendre une floraison d'œuvres dramatiques qui, peu à peu, se libéreraient des thèmes littéraires officiels ou en vogue. Or, la fin du XIIIe siècle se révèle d'une extrême pauvreté, puisqu'elle ne nous a laissé qu'une seule pièce du même Adam de la Halle, *le Jeu de la Feuillée,* écrite, pense-t-on, vers 1276.

Le Jeu de la Feuillée

Si *le Jeu de la Feuillée* est la seule pièce qui nous soit restée de la fin du XIIIe siècle, elle marque un tournant décisif et laisse pressentir ce que sera l'évolution du théâtre profane. En effet, bien qu'elle pratique encore le mélange des tons, bien qu'elle ait recours à des emprunts très divers, elle est la première œuvre vraiment personnelle et qui puise essentiellement sa matière dans l'actualité qu'elle met en scène. Mais plutôt que de nous livrer à une vaine démonstration, empruntons au meilleur spécialiste actuel d'Adam

---

21. Bien que d'une pièce à l'autre on note une évolution : de l'expression d'un certain mysticisme dans le *Jeu de Saint Nicolas,* on se restreint à un certain didactisme laïque et moralisant dans *Courtois d'Arras,* pour aboutir à une pièce entièrement souriante et enjouée avec *Robin et Marion.* De la même manière, si les voleurs de *Saint Nicolas* sont des types vrais, Courtois est un orgueilleux puni et Robin presque un pantin comique caractérisé par des *tics.*

de la Halle, Jean Dufournet [22] un extrait d'un cours professé en 1970-1971 à l'Université Paul Valéry de Montpellier.

L'œuvre capitale d'Adam demeure le *Jeu de la Feuillée* dont le titre en picard *li Jeus de la Fuellie* évoque aussi bien la *folie* que la *loge de feuillage* qui abrite la table des fées, et qui de prime abord semble composé d'une succession fièvreuse et incohérente de scènes et de tableaux très divers : portrait contrasté de Maroie, la femme d'Adam, qui *estoit blanke et vermeille, rians, amoureuse et deugie* (svelte) et qu'il voit maintenant *crasse et mautaillie, triste et tenchant* (grincheuse); venue d'un médecin et d'un moine, chargé des reliques de saint Acaire, qui permet de dénoncer l'avarice, la gourmandise, la luxure et la folie de nombreux Arrageois; élucubrations et cabrioles d'un *dervé,* un fou furieux, encadrant un débat sur les clercs bigames; *un grant merveille de faerie :* trois fées qui s'entretiennent avec un envoyé du roi infernal Hellequin, *Croquesos,* concèdent à deux des acteurs, Adam lui-même et Riquier, des dons qui, favorables ou défavorables, aboutissent au même résultat, les enfermant dans leur vie actuelle et les retenant à Arras qu'Adam voudrait fuir, comme il l'annonce au début de la pièce; elles dénoncent Robert Sommeillon, faux chevalier et amant détestable et, grâce à l'allégorie de la Roue de Fortune, la politique injuste du patriciat d'Arras; pour finir, elles s'acoquinent avec la répugnante Dame Douce dans de louches pratiques de sorcellerie. Dans les deux cents derniers vers, les acteurs se retrouvent à la taverne, théâtre de disputes, de tromperies, de nouvelles manifestations du *dervé :* chacun semble renoncer à ses illusions, voire à son idéal.

Très variée et très riche malgré ses dimensions restreintes, cette œuvre où les confidences de l'auteur et la critique d'Arrageois connus se mêlent à la satire de types traditionnels et à la parodie de genres littéraires (chansons, romans arthuriens, jeux-partis), a divisé la critique. [...] Henry Guy, H. Roussel (*Notes sur la littérature arrageoise du XIIIe siècle,* 1957), G. Frank

---

22. Il faut lire notamment de ce critique, outre l'article déjà cité, *Adam de la Halle et le Jeu de la Feuillée,* Romania LXXXVI, 1965, p. 199 sqq. et, surtout, *Adam de la Halle à la recherche de lui-même ou le jeu dramatique de la Feuillée,* Paris, S.E.D.E.S., 1973.

(*The Medieval French Drama,* 1954) voient dans ce *jeu* une simple revue comique et satirique d'étudiants qui reprennent et jugent les débats soutenus dans l'année, concernant la religion, la politique et les belles-lettres. A. Adler (*Sens et composition du Jeu de la Feuillée,* 1956) y décèle au contraire l'expression profonde du poète, de ses obsessions et de ses efforts pour *se reconnaître,* à travers la laideur qui donne la nostalgie du beau, et la pluralité qui pousse à retrouver l'unité. Mais Marie Ungureanu refuse tout caractère autobiographique à cette pièce [...] A notre avis, cette œuvre relate l'itinéraire moral et spirituel d'un poète qui n'a pas réussi à échapper à la vie arrageoise pour reprendre ses études à Paris, confession d'un échec que l'auteur essaie, çà et là, de minimiser, mettant en cause les autres : l'Amour et sa femme sensuelle et possessive, son père avare, égoïste et lâche, ses compères à la fois êtres autonomes, bien connus à Arras, et doubles impurs d'Adam. Il lui déplaît d'être seul à avoir échoué. Aussi, brûlant ce qu'il a adoré, s'en prend-il, à travers Robert Sommeillon, à Jean Bretel, le grand poète d'Arras, qu'il accuse d'être un mauvais versificateur, un hypocrite qui masque par de faux semblants sa fausseté et sa débauche et que, se libérant de son emprise intellectuelle, morale, littéraire, sociale, il rend responsable de sa propre dégradation. Aussi montre-t-il que chacun, moine ou médecin, échoue dans la voie qu'il choisit. Pas d'issue : quels que soient les aspects de la vie que l'on envisage, vie conjugale, familiale, sociale, il est impossible d'échapper au déferlement de la débauche, de la laideur, de la vulgarité, dans un monde irrationnel que régit la Fortune. Tente-t-on dans un suprême effort de retrouver la beauté et la raison? Il faut très vite déchanter : la féerie révèle les mêmes tares que notre monde quotidien, les fées se muent en sorcières. C'est donc, sous un aspect folâtre, une œuvre amère, qui divise les critiques d'autant plus qu'Adam a brouillé les pistes, utilisant des lieux communs (scènes de taverne, récit d'une tromperie, portrait contrasté, satire des avares, des femmes... manifestations de fous et de sots...) et des schémas empruntés à des œuvres comme *le Jeu de Saint Nicolas, Courtois d'Arras,* les *Chansons et Dits artésiens,* pour masquer son drame personnel.

Ainsi, malgré des accents profondément personnels, malgré une genèse toute différente, l'indéniable richesse du *Jeu de la Feuillée* en fait-elle une œuvre destinée au même milieu, au même public que les premières pièces profanes. L'art dramatique naissant était-il donc, avant la guerre de Cent Ans, le monopole d'une seule ville et d'une seule classe? N'existait-il pas, parallèlement, d'autres manifestations dramatiques profanes à la fois plus générales et plus populaires. Pour répondre à ces questions, il n'est d'autre ressource que d'interroger l'abondante littérature dite « narrative » du XIIIe siècle.

Œuvres narratives et mime

En dehors des quelques œuvres dramatiques véritables que nous venons d'étudier, les autres formes de spectacle que nous offre le XIIIe siècle semblent toutes liées à l'existence d'un « amuseur » professionnel chéri des foules : le jongleur, ce jongleur qui, si l'on en croit le *Dit du Buffet,* témoignait d'un art multiple :

L'uns fet l'ivre, l'autres le sot;
Li uns chante, li autres note,
Et li autres dit la riote
Et li autres la jenglerie;
Cil qui sevent de jonglerie
Vielent par devant le conte;
Aucuns i a qui fabliaus conte
Ou il ot mainte gaberie
Et li autres dit l'Erberie
Là ou il ot mainte risée.

La variété et la nature de ce répertoire laissent à penser que l'art de ces amuseurs, et plus particulièrement celui des *satiriques* — catégorie que l'on distinguait des *chanteurs de gestes* et des *danseurs et acrobates* — se situait à la croisée du narratif et du dramatique. Mais même si l'on admet que ces œuvres constituent un genre très particulier et vraiment original, même si l'on reconnaît à ces morceaux que le jongleur *recordoit par cuer,* comme le précise

E. Deschamps, un caractère mimique très accusé, faut-il voir en eux les premières manifestations d'un art dramatique populaire?

Le jongleur satirique est avant tout un conteur qui cherche à amuser son auditoire en lui rapportant des anecdotes ou des récits imaginaires plaisants et souvent grivois, comme en témoignent les *fabliaux.* Pour parvenir à l'effet souhaité, le conteur se devait d'actualiser son récit et de lui donner une certaine vie : aussi n'est-on pas surpris de trouver, dans maints fabliaux, outre une précision réaliste du détail, de nombreux dialogues rapportés au style direct qui permettaient au jongleur — en utilisant l'effet du changement de voix — de faire apprécier à un public conquis ses talents de mime. Parfois, ces dialogues au style direct envahissent le récit au point d'en composer la substance même, comme dans le *Credo a l'usurier,* dont les deux cent cinquante-deux vers ne comportent que cinquante-sept vers narratifs (trente-sept vers d'introduction, quinze de conclusion et cinq pour noter trois jeux de scène), et qui rapporte la confession arrachée par un prêtre à un usurier à l'article de la mort, et la manière dont ce dernier accomplit sa pénitence : un *credo* qu'il entrecoupe de pensées obsessionnelles :

> *Credo,* fet il, de mes deniers
> *In Deum,* qu'en porrai je fere?
> Ma fame est de si pute afere,
> *Patrem,* que si je li lessoie
> Et je, de cest mal garissoie,
> Tost m'en embleroit la moitié...

Même chose dans *le Dit de Dame Jouenne* qui peint, avec un réalisme truculent, une dispute traditionnelle entre mari et femme au sujet de la prééminence dans le ménage, et dans lequel le jongleur réussit à intégrer les éléments narratifs (en l'occurrence le bon tour joué par le mari à sa femme pour s'en venger) au dialogue en les faisant passer dans des apartés du mari adressés à la foule.

Pourtant, même dans ces deux cas (qui sont des cas-limites et isolés) la présence de vers narratifs où l'auteur passe du *je* au *il* — et qu'il suffirait de supprimer, reconnaissons-le, pour obtenir de courtes farces à deux personnages — empêche de considérer l'œuvre comme une véritable pièce dramatique : malgré l'artifice de présentation, le récitant garde vis-à-vis de ses personnages une certaine distance; il ne s'*identifie* jamais pleinement à eux [23]. Néanmoins nous sommes là aux portes du dramatique : il est vrai que le simple fait, nouveau, de chercher les sujets et les thèmes dans la vie même y conduisait. Il ne restait plus qu'à faire de l'*identification* du récitant au personnage joué la finalité unique de l'œuvre. Et quelques textes, trop rares il est vrai, prouvent que les jongleurs ont su franchir le cap.

La solution la plus simple consistait pour le jongleur à jouer son propre rôle : c'est ce qui se produit dans les *concours de bourdes* dont *le Dit des deux bordeors ribauz,* qui date de la seconde moitié du XIIIe siècle, nous offre un exemple. Il se compose de trois « monologues » prononcés successivement par deux jongleurs qui rivalisent de vantardises et d'insultes en un assaut burlesque. Le premier qui prend la parole commence par attaquer son concurrent (v. 1-51), puis il fait l'étalage de ses connaissances : c'est une énumération burlesque de *bourdes* obtenues en inversant des qualificatifs :

De Gauvain, sai, le malparlier
Et de Qex le bon chevalier;
Si sai de Perceval de Blois,
De Pertenoble le Galois...

Suivent quelques vers d'insultes adressées à son adversaire (v. 102-106) qui, bien vite, font place à une nouvelle accumulation d'absurdités fatrasiques :

Si sai bien faire frains a vaches
Et gans a chiens, coifes a chievres,
Si sai faire haubers a lievres...

---

23. D'ailleurs le simple fait d'avoir à jouer simultanément deux rôles l'en empêche.

Et après de nouvelles insultes à son opposant, le vantard avance une liste burlesque de personnalités qui peuvent le cautionner : Grosgoing, Trenchefer, Rungefoie... Il revient ensuite aux insultes et poursuit par des menaces qui s'achèvent sur une dérobade comique :

A bien poi se tient que tu n'as
Du mien, se ne fust por pechié.
Mais il ne m'ert ja reprouchié
Que tel chetif fiere ne bate;
Quar trop petit d'onnor achate
Qui sor chetif homme met main!

Ce premier « monologue » est suivi de la réplique du jongleur attaqué (164 vers), construite de manière identique, et à laquelle répond la *contrejengle* ou contre-attaque du premier : cent quatre-vingt-deux vers composés presque exclusivement d'insultes!

Une telle pièce obéit aux critères du dramatique : le récitant s'identifie pleinement à un jongleur aussi vantard et imbu de sa personne que couard et ignare. Il devient un *type* aux dépens duquel s'exerce le rire, car les incohérences de son discours, bien que burlesques en elles-mêmes, sont avant tout fonctionnelles : elles traduisent un caractère et un comportement.

Le second pas sera fait lorsque le jongleur essaiera de s'identifier à un tiers, à un des *types* de la vie quotidienne : c'est ce qui se produit dans *le Dit du Mercier* dont les cent soixante-huit octosyllabes ne sont que l'imitation d'un *cri* de colporteur, de la manière dont il présente et offre ses marchandises en les déballant devant un cercle de badauds attentifs. Bien sûr, on sait que les jongleurs étaient conscients de la valeur comique du procédé de l'accumulation, qui permettait de faire naître par le verbe une véritable euphorie communicative, et le fameux *Dit des crieries de Paris* de Guillaume de la Villeneuve en est une preuve. Mais ici, aucune bourde, aucune exagération, aucune marchandise qui ne soit vraie, courante et ne puisse se trouver réellement dans le ballot du marchand ambulant. De plus, le rythme même du boniment obéit à un scrupuleux souci de réalisme vécu, à tel point qu'il est difficile de savoir si l'on se trouve en présence d'une véritable réclame publicitaire ou d'une imitation malicieuse.

Mais, en la matière, le chef-d'œuvre du genre reste incontestablement le *Dit de l'Erberie* de Rutebeuf, écrit lui aussi vers le milieu du XIIIe siècle. C'est là d'ailleurs un véritable monologue dramatique car, comme le remarque A. Pauphilet, « le récitant y adopte un personnage d'emprunt, et son rôle comporte évidemment toutes les ressources de l'art de l'acteur, la variété des sons de voix, des expressions du visage et, le plus souvent, une gesticulation abondante soulignée de prestes changements de costume » *(Jeux et Sapience du Moyen Age).* Après neuf vers qui constituent un appel au public :

Aseez vos, ne faites noise
Si escoutez, qu'il ne vos poise

le récitant présente le personnage qu'il incarne : « je sui uns mires », et, immédiatement, il enchaîne sur le *topique* du voyage (« si ai esté en mainz empires »), leitmotiv obligé de la peinture du personnage du marchand, — si l'on en juge par la manière dont Guillaume se présentait à Harpin et Otran dans *le Charroi de Nîmes* — qu'il développe sur dix vers et reprendra deux autres fois au cours du texte. Outre sa valeur comique qui réside dans la seule accumulation, ce passage se double d'une valeur parodique, car c'est de cette manière que le *triacleur* essayait de susciter chez le chaland curiosité, admiration et respect, afin de mieux le dominer. Ce qui lui permettait aussi, grâce à cette magie de l'inconnu, de doter d'un pouvoir miraculeux les herbes et les pierres précieuses qu'il proposait. C'est ainsi que notre charlatan est allé en Égypte, en Afrique, en Italie où il a trouvé des herbes aux vertus extraordinaires. Il est même allé jusqu'en Eldorado d'où il a rapporté des pierres miraculeuses « qui font ressusciter le mort » (ici, les noms des pierres sont forgés de toutes pièces : mais le véritable *triacleur* procédait-il autrement?). Suivent seize vers d'énumération des dites pierres et des vertus qui y sont attachées. Après quoi, emporté par sa verve, le charlatan revient à l'évocation des pays imaginaires qu'il a traversés.

Dans un second temps, après avoir réclamé le silence, notre homme fait étalage de sa science — caractérisé six fois par la reprise du verbe *guérir*. La composition du passage est fort habile : après une transition au cours de laquelle il présente ses herbes comme ayant un pouvoir érotique, moyen facile pour déclencher le rire et attirer le public, notre homme énumère les maladies qu'il se vante de guérir (fièvres, goutte, hémorroïdes et mal de dents), ce qui lui donne l'occasion de développer sur vingt vers, qui sont une parodie des recettes authentiques de l'époque, une préparation de remède-miracle, accumulation scatologique fort goûtée des contemporains. Puis il revient sur les autres maladies qu'il est capable de soigner : la gravelle, les hernies et les maladies du foie.

La seconde partie du monologue, en prose, est en quelque sorte une reprise de la première, mais sur un mode sérieux qui implique une parodie plus fine. Le charlatan reprend sa présentation et la complète : « je ne sui pas de ces povres prescheurs, ne de ces povres herbiers... ». Il est, dit-il, un disciple de « Madame Trote de Salerne », médecin célèbre qui l'a envoyé officier dans toutes les parties du monde — retour du *topique* du voyage — après lui avoir fait prêter serment d'honnêteté. On sent que cette partie est, pour notre charlatan, la plus délicate, puisqu'elle doit l'amener à proposer un prix pour ses marchandises et à convaincre l'auditoire d'acheter. Aussi la parodie de Rutebeuf suit-elle le déroulement qu'impose la psychologie de la vente; le charlatan :

— fait naître l'effroi en peignant les dangers que peuvent faire courir au corps humain les vers « qui montent jusqu'au cuer et font morir »; et pour renforcer l'effet de son discours, il invite les gens à se signer;

— propose alors un remède : « a vos iens la veez... la meilleure herbe... ce est l'ermoize » (remède utilisé par les femmes pour soigner les troubles circulatoires : d'où la valeur allusive comique), et donne une recette qui, cette fois est plausible;

— vante le prix dérisoire de son remède, car on lui a ordonné de ne prendre qu'« un denier de la monnoie qui corroit el païs... por dou pain, por dou vin a moi, por dou foin, por de l'aveinne a mon roncin »; il ne cherche pas à s'enrichir mais seulement à subsister;

— insiste sur la simplicité de l'ordonnance et sur la certitude des effets : il n'hésiterait pas à recommander le remède à ses propres parents. Et il termine par : « qui vodra, si en preigne; qui ne vodra, si les laist! ».

Telle est cette seconde partie, dont le déroulement soigné et le réalisme incitent à penser qu'elle aurait pu être la transcription fidèle des paroles d'un authentique herbier, la première n'étant, comme tout boniment à caractère comique, destinée qu'à faire se rassembler la foule et la faire rire. Il n'y a là rien que de normal : au niveau de l'ensemble, c'est l'observation de la vie quotidienne qui fournit au texte sa structure, et le réalisme parodique qui en découle lui confère son caractère dramatique.

Ainsi, en prenant conscience de cette condition première du dramatique qu'est l'identification profonde du récitant au personnage joué — la *personnation* pour prendre le mot d'O. Jodogne — les jongleurs s'orientaient-ils vers des formes plus dramatiques que narratives, de caractère populaire et dont la genèse s'appuyait directement sur la réalité quotidienne vécue. Pourtant il restait encore beaucoup à faire, car ces premières œuvres, quand elles ne reposaient pas sur l'emploi systématique d'un procédé, consistaient plus à copier, en les parodiant [24], des attitudes extérieures, des comportements spécifiques qu'à recréer de véritables caractères ayant une psychologie individualisée. On reste encore plus proche du mime que du véritable théâtre.

Une naissance difficile

Si l'on peut dire du XIIIe siècle qu'il est celui de la naissance du théâtre profane français, on ne peut nier, compte tenu du nombre et du caractère des œuvres qui nous sont restées,

24. On peut s'étonner que la *parodie* n'ait pas donné naissance à de véritables œuvres dramatiques dès le XIIIe siècle, car elle fleurissait dans tous les genres : *jeux-partis, sottes-chansons,* etc. En fait, bien que témoignant de l'évolution d'un monde chevaleresque vers un monde bourgeois, elle restait l'apanage de poètes cultivés appartenant au monde clos du patriciat.

que cette naissance n'ait été timide et difficile, bien qu'elle soit le résultat d'efforts tentés en deux milieux et selon des démarches différentes. C'est ainsi qu'apparaissent, d'une part, une littérature dramatique très localisée, conditionnée sociologiquement par le mécénat des grands bourgeois et qui, destinée à une élite, prend ses thèmes dans le fonds culturel de l'époque qu'elle essaie de rénover par le biais d'une transposition à caractère réaliste, et, d'autre part, une littérature dramatique plus populaire qui cherche péniblement à se dégager du genre narratif en empruntant ses sujets à la vie même, mais qui, outre le fait qu'elle n'a laissé que des pièces à une voix, se borne à traduire une psychologie du comportement, restant ainsi dans les limites du mime. Or cette timide naissance allait être suivie d'une longue traversée du désert, puisque le XIVe siècle ne nous a pratiquement rien laissé [25]. Cette naissance était-elle prématurée et doit-on imputer le long silence qui l'a suivie à la guerre qui de 1337 à 1453 touche profondément le peuple et la petite bourgeoisie, leur faisant ressentir cette *mélancolie* qu'a si bien traduite Charles d'Orléans et les portant plus à rechercher l'espoir dans une ferveur religieuse, dont témoigne alors la vogue des *miracles,* qu'à se réjouir dans un théâtre de divertissement spontané? Il est plus vraisemblable de penser que les conditions politiques, économiques, matérielles et intellectuelles nécessaires à l'éclosion d'un véritable théâtre comique de caractère populaire n'étaient pas, alors, réalisées.

25. Bien que des documents d'archives fassent mention de spectacles donnés à l'occasion d'*entrées* royales en 1367 et 1385 à Rouen, en 1386 à Lille et en 1392 à Angers. Mais nous n'avons aucune précision sur ces spectacles et sur leur contenu : comportaient-ils des pièces dramatiques profanes? Il est permis d'en douter.

2

Les conditions d'un théâtre bourgeois et populaire

La guerre de Cent Ans et le bouleversement des structures sociales

Tous les historiens s'accordent pour placer entre le milieu du XIIIe siècle et le début du XVe siècle une véritable crise de croissance de la société médiévale. Comme le souligne R. Fossier (*Histoire sociale de l'Occident médiéval,* A. Colin, 1970),

> lorsqu'aux environs de 1340 Guillaume d'Ockham jette bas le fragile compromis ébauché entre l'autorité de la foi et les leçons d'Aristote, par saint Thomas ou d'autres philosophes, il ouvre une *via moderna* par laquelle passent le raisonnement individuel, le notion de pluralité des vérités ou des mondes, le rejet de l'argument d'autorité, toutes conceptions jusque-là condamnées et qui ne s'imposeront qu'avec lenteur. Lorsque ce stade sera atteint, commence pour les historiens traditionalistes l'histoire « moderne ».

Que s'était-il donc passé pour qu'en moins de deux siècles on assiste à une transformation aussi profonde des structures sociales?

Au début du XIVe siècle, sous le règne de Philippe IV le Bel, la monarchie est solidement assise : le roi « avait vaincu l'orgueil guerrier des grands barons, vaincu les Flamands révoltés, vaincu l'Anglais en Aquitaine, vaincu même la papauté qu'il avait installée de force en Avignon. Les Parlements étaient à ses ordres et les conciles à sa solde. » Pourtant, paradoxalement, cette autorité portait en elle les ferments de sa destruction, car elle reposait sur une sape des fondements de la civilisation féodale. En effet, les violentes oppositions entre la royauté et la papauté, en implantant dans l'esprit des fidèles un doute sur l'autorité spirituelle de l'Église, avaient porté un rude coup au fondement du pouvoir qui, dans les siècles précédents, avait maintenu la société dans l'ordre, car « jusqu'au milieu du XIIIe siècle encore, on se sent, en Europe, avant tout un chrétien, le membre d'un groupement familial ou professionnel, et que dirigent sans erreur les docteurs de la Loi ». D'autre part, en appuyant son autorité sur la classe des grands légistes, comme Nogaret, en rassemblant, le premier, pour prendre leur avis, les bourgeois de Paris en même temps que les barons et les prélats, Philippe le Bel inaugurait une ère qui allait permettre aux *clercs* et *hommes de loi* d'asseoir leur autorité morale au détriment de la noblesse et de l'Église. Il est vrai que, parallèlement, on assistait, depuis la fin du XIIIe siècle, à une transformation profonde de l'économie traditionnelle. Le développement exceptionnel des riches villes du Nord — dans lesquelles nous avons vu apparaître les premières manifestations d'un théâtre profane — avait marqué le début de l'ère de croissance matérielle des villes. Non seulement ce phénomène permit la naissance d'oligarchies marchandes qui opérèrent une mainmise partielle sur la chose publique en répandant ainsi « l'illusion des communes démocratiques », mais encore il transforma radicalement les fondements mêmes de l'économie : à une conception dans laquelle la production était liée à la consommation et où l'homme représentait la force économique primordiale, il substituait une économie de type capitaliste fondée sur la recherche du profit qui développera, dans un climat de faim monétaire, une véritable « psychose de l'argent à gagner ». Le monde campagnard en sera la première victime, car il subira dorénavant la tutelle des intérêt urbains. De plus, l'industrialisation et la mécanisation avaient conduit à la naissance d'une classe nouvelle, un véritable prolétariat urbain, qui commence à se soulever, ici et là, dans le premier quart du XIVe siècle.

Or, dès le milieu du XIVe siècle, des maux plus grands vont accélérer le processus de détérioration du monde féodal. Dès 1328, se pose en effet le problème de la succession de Charles IV mort sans enfants, qui déclenche en 1337 une guerre qui durera un siècle : sa première phase se solde par la défaite de Crécy en 1346 — qui, non seulement décime la noblesse française, mais de plus fait éclater au grand jour son incapacité à remplir sa fonction originelle et par suite porte un coup décisif à son prestige — et la prise de Calais en 1348. Aux désastres de la guerre s'ajoute, en 1348 et 1349, une nouvelle vague de *peste noire* qui touche la totalité du territoire. Ces deux fléaux ont pour résultat un accroissement de la mortalité (et un rajeunissement extrême de la société qui justifie le caractère heurté de la fin du XIVe siècle et du XVe : enthousiasme et abattement, déraison et claire vision du réel) et un recul des cultures qui redeviennent friches : d'où une *peur* d'autant plus forte qu'elle s'accompagne du sentiment de l'abandon de Dieu, car le recours à l'espérance ne passe plus, maintenant, par l'Église terrestre. Or cette peur se résout non seulement en un désir de jouissance immédiate, mais surtout en une libération incontrôlée de la violence : en maints endroits des révoltes organisées, dirigées contre la noblesse survivante, répudient les dernières obligations féodales. De plus, parallèlement à ces *jacqueries,* après le désastre de Poitiers où le roi est fait prisonnier en 1356, se développe à Paris même une véritable révolution : le dauphin Charles est contraint d'accepter la *Grande Ordonnance* de 1357 qui soumet l'aristocratie aux communes, les nobles à la classe commerçante et le roi aux représentants élus du peuple. Mais la révolte d'Étienne Marcel est écrasée dans le sang l'année suivante. Il n'empêche que des mouvements analogues vont avoir lieu dans toute l'Europe pendant la seconde moitié du XIVe siècle.

Et même si la guerre, qui reprend dès 1359, semble, après quelques moments de trêve, tourner à l'avantage des Français, même si Charles V en profite pour tenter une réorganisation du royaume, son règne, marqué par le *Grand Schisme,* consacre définitivement la rupture de l'unité chrétienne (qui sera un puissant stimulant à l'éveil du sentiment national) et la perte totale d'autorité du clergé sur les âmes au profit des universitaires : les juristes deviennent les *censeurs* naturels de la *res publica* et l'usage s'établit de les placer au niveau de la noblesse. D'ailleurs, le renouveau de l'autorité royale sombre avec la folie de Charles VI. Les troubles renaissent partout; une insubordination latente gagne les campagnes, trahissant une évolution mentale profonde : la noblesse rurale, ruinée, écrasée d'impôts et déconsidérée par ses échecs guerriers apparaît, là où elle est encore politiquement une classe prépondérante, comme socialement parasitaire; l'achat de biens ruraux par les bourgeois — qui consacre la tutelle de la ville sur la paysannerie —, joint à l'action des communautés villageoises composées de laboureurs aisés qui asseoient leurs privilèges, provoque un appauvrissement et un autre servage. Le petit peuple, écarté de toute influence dans la vie municipale, se sent joué et l'on assiste à une seconde vague de bouleversements urbains à la fin du siècle. Ces différents remous ne tardent pas à être théorisés par des hommes de lettres dont l'influence croît, tels Nicolas de Clamange, Gerson, Jean Petit et, plus tard, Alain Chartier. Et l'esprit contestataire naissant, canalisé par les prédicateurs appartenant aux ordres mendiants, vulgarisé parmi le menu peuple, fait tache d'huile au rythme des brassages incessants de la population.

Aussi, la reprise de la guerre qui aboutit, après la défaite d'Azincourt, au traité de Troyes en 1420, achève-t-elle de faire disparaître les anciens cadres sociaux dans un pays divisé dans lequel toute moralité a disparu [1]. Pourtant, on assiste, dans le second quart du XVe siècle à un lent relèvement qui repose principalement sur deux facteurs. Le premier, c'est la prise de conscience et le développement d'un sentiment national concrétisé par l'épopée de Jeanne d'Arc qui, appuyée sur des bandes commandées par des capitaines roturiers et soutenue par des soulèvements populaires, stoppe l'avance anglaise, reprend Orléans et fait sacrer Charles VII à Reims en 1429. Dès lors, et en l'absence d'autorité de l'aristocratie chevaleresque, le bon peuple de France, qui a permis au roi de retrouver sa couronne, va se

1. En 1422, il y a, à Paris, 80 000 mendiants et « la sodomie était fréquente, la prostitution générale et l'adultère presque universel ».

sentir de plus en plus le droit de faire entendre sa voix. Le second, c'est, dès 1436, l'installation de la haute bourgeoisie marchande aux rênes du pouvoir : c'est grâce à celui qui la symbolise, Jacques Cœur, que Charles VII entreprend de restaurer la vitalité économique du royaume par une réorganisation qui sera poursuivie jusqu'en 1460, même si l'on enregistre encore vers 1450 de nouveaux mouvements de révolte dans les campagnes comme dans les villes — et qui s'expliquent par le désir d'ascension sociale des catégories défavorisées.

Lorsque Louis XI arrive au pouvoir en 1461, les mutations morales et matérielles qui se sont effectuées, l'apparition d'un esprit et d'hommes nouveaux, le développement de la civilisation urbaine au détriment des campagnes, ont radicalement transformé la hiérarchie sociale et les mentalités. L'intérêt tout nouveau que l'État va porter aux problèmes sociaux en témoigne, ainsi que les prémices déjà perceptibles d'une lutte des classes — plus particulièrement de la moyenne bourgeoisie et du peuple contre la haute bourgeoisie qui tendait à remplacer l'ancienne noblesse : les classes moyennes ont pris conscience de leur existence et vont éprouver le besoin de faire entendre leur voix [2], ce qui est là la condition première de la naissance d'un théâtre profane bourgeois et populaire.

La transformation des conditions matérielles du spectacle

Le « milieu » théâtral avant et pendant la guerre de Cent Ans

Au XIIIe siècle, l'« amuseur » public était, nous l'avons dit, le jongleur, qu'il soit *chanteur de geste, satirique* ou *danseur et acrobate.* Or, dès la fin du XIVe siècle, la profession est en décadence. Sans doute, est-ce là un des effets de la guerre et plus particulièrement de la disparition de la classe des nobles mécènes auxquels les jongleurs devaient leur subsistance. Il n'en reste plus guère qu'auprès des grandes cours

2. Jean Jouvenel des Ursins n'écrit-il pas en 1453 des *Remontrances au roy pour une reformation du royaume?*

seigneuriales et des grands bourgeois qui prennent le relais de la noblesse. La transformation du répertoire des jongleurs traduit cette évolution qui en fin de compte les conduit à rechercher une ouverture vers un public plus large : les anciens *danseurs et acrobates* sont devenus, par suite de l'extension des échanges commerciaux, des *bateleurs de foire,* et les *musiciens,* regroupés dès 1321 en une corporation régulière avec ses statuts, des bourgeois dont la musique est tarifée à l'heure.

Ajoutons que, si en leurs débuts les jongleurs s'étaient parfois regroupés en des confréries religieuses et intellectuelles — comme la *Carité des Ardents* à laquelle a dû appartenir Jean Bodel — très vite, à Arras comme ailleurs, ces confréries ont été accaparées par la bourgeoisie : celle-ci fonde des sociétés littéraires académiques, les *puys,* sortes de corporations qui cultivent la musique et la poésie et s'assemblent périodiquement pour se livrer à des *jeux* littéraires au cours desquels les jongleurs, comme le rapporte E. Deschamps, « portoient chascun ce que fait avoit devant le Prince du puys ». Ces institutions, qui résultent du grand mouvement communal amorcé dès le XIe siècle, ont été surtout nombreuses à l'Ouest et au Nord (Arras, Caen, Rouen, Dieppe, Évreux, Beauvais, Amiens, Abbeville, Béthune, Lille, Cambrai, Douai, Valenciennes) où elles traduisent l'émancipation intellectuelle de la bourgeoisie. C'est dans ces *puys* que se sont vraisemblablement préparées les premières manifestations dramatiques religieuses et notamment les *miracles.* La vie dramatique en ses débuts est ainsi liée à la vie bourgeoise industrielle et marchande car les corporations avaient pris l'habitude de célébrer la fête de leur saint patron en donnant des représentations théâtrales qui illustraient sa vie.

Pourtant, au XVe siècle, l'usage de jouer des pièces dans les *puys* tend à disparaître et, si ces associations persistent, leurs réunions se partagent dorénavant entre les problèmes littéraires et la satire politique ou sociale, ainsi que le laissent supposer des textes comme le *Débat de la damoiselle et de la bourgeoise* ou *les Droits nouveaulx* de Coquillart. En fait, le XIVe siècle avait vu mourir ou se transformer les anciens cadres du spectacle.

Les nouvelles formes du spectacle à la fin de la guerre

Les premières allusions relatives à des pièces comiques que l'on puisse relever datent du premier quart du XVe siècle [3], mais les premiers textes qui sont parvenus jusqu'à nous ne remontent pas au-delà du milieu du siècle, qui est d'ailleurs marqué par une brutale floraison d'œuvres dramatiques. La guerre avait-elle empêché tout divertissement? En fait on peut penser que la joie populaire trouvait un exutoire dans les innombrables fêtes qui apparaissent dès la fin du XIIIe siècle et se développent à la fin du XIVe et au début du XVe.

La plus connue est sans conteste la *Fête des Fous.* Sorte de réminiscence de certaines manifestations du paganisme antique, les *Saturnales,* elle est célébrée au milieu des quinze jours de licence tolérée qui séparent Noël de l'Épiphanie, et se traduit, à l'intérieur même de l'église, par une journée de folie organisée selon le principe du monde à l'envers : les enfants de chœur, comme chaque catégorie subalterne de la hiérarchie ecclésiastique, élisent parmi eux un *évêque* qui célèbre une messe burlesque. D'ailleurs, comme l'écrit M. Bakhtine, « presque tous les rites de la fête des fous sont des rabaissements grotesques des différents rites et symboles religieux transposés sur le plan matériel et corporel : goinfrerie et ivrognerie sur l'autel même, gestes obscènes, déshabillages, etc... ». Célébrée en France avec plus de force et de persévérance qu'ailleurs, la *Fête des Fous* apparaît dans le Nord dès la fin du XIIIe siècle (en 1284 à Laon; en 1308 à Troyes) et se répand pendant le XIVe et le début du XVe. Cependant, les exagérations et les sacrilèges commis à l'intérieur de l'église devaient lui valoir d'être condamnée et interdite par le concile de Bâle en 1435 — interdiction reprise en 1438 par la *Pragmatique Sanction* — et par le concile de Soissons en 1456, ce qui d'ailleurs ne l'a pas empêchée de survivre presque partout jusqu'au milieu du XVIe siècle, et parfois même jusqu'au XVIIe comme à Noyon, à Péronne ou à Ham. Néanmoins, dès le milieu du XVe siècle, la *Fête des Fous,* là où elle est tolérée, doit sortir de l'église.

---

3. Il est fait mention de *farces* à Reims en 1419 et 1423.

Cette expulsion sera un facteur important dans la formation des *compagnies joyeuses* qui fleuriront dès ce moment-là.

Bien que la plus connue, la *Fête des fous* n'est pas la seule à présenter ces caractères : la *Fête de l'Ane* [4] se déroule selon un rituel analogue. D'autres, comme le *Carnaval* et la *Fête de Mai,* qui renouent avec le culte païen de la fécondité, sont célébrées selon des formes identiques et avec ampleur, le Carnaval surtout qui fonctionne comme une soupape de sûreté avant la longue période d'abstinence du *carême,* permettant une totale libération des instincts. A ces exorcismes de la douleur et de la frayeur par un rire régénérateur, il faut ajouter la multitude des fêtes locales, comme la *Fête de l'Espinette* — célébrée à Lille de la fin du XIIIe siècle jusqu'en 1528 — et les différents *charivaris.* Signalons encore, ainsi que le fait M. Bakhtine, que « le rire et l'aspect matériel et corporel en tant que principe rabaissant et régénérateur, jouaient (aussi) un rôle des plus importants dans [...] les autres fêtes [...], fêtes de consécration des églises et [...] fêtes du trône [qui] coïncidaient généralement avec les foires locales et tout leur cortège de réjouissances populaires et publiques [5]. » Toutes ces fêtes se déroulent selon un schéma analogue : après l'élection d'un *Roi* chargé de diriger l'exubérance collective, les réjouissances commencent par des défilés costumés, se poursuivent en des chahuts organisés qui ouvrent les vannes à la libération des instincts, et se terminent par un festin, bien souvent à la charge du *Roi* qui, pour ce faire, obtient des subventions des échevinages ou des chapitres [6].

A ces premières manifestations il faut ajouter, avec M. Bakhtine, « les récréations scolaires et universitaires [qui] ont eu une importance majeure dans l'histoire de la parodie médiévale [...]. Elles coïncidaient habituellement avec les

---

4. Comme le rappelle M. Bakhtine, l'âne est un des symboles les plus anciens et les plus vivaces du *bas* matériel et corporel.

5. M. Bakhtine : *François Rabelais et la culture populaire au Moyen Age et sous la Renaissance,* Gallimard, 1970.

6. Il est intéressant de souligner, avec M. Bakhtine, qu'« un des éléments de la fête populaire était le déguisement, c'est-à-dire la *rénovation* des vêtements et du personnage social » et que « l'autre élément, de grande importance, était la permutation du haut et du bas hiérarchique », ce qui n'est pas sans témoigner d'une certaine adéquation de l'esprit de ces fêtes à la conjoncture du moment.

fêtes et jouissaient également de tous les privilèges de la fête établis par la tradition : rire, plaisanteries, vie matérielle et corporelle. Pendant ces récréations, les jeunes gens se reposaient du système des conceptions officielles, de la sagesse et du règlement scolaires et, de plus, ils se permettaient d'en faire la cible de leurs jeux et de leurs plaisanteries joyeuses et rabaissantes. » En dehors des fêtes traditionnelles, Saint-Rémi, Sainte-Catherine, Saint-Martin, Saint-Nicolas et l'Épiphanie, et des chahuts estudiantins ou *lendits* — jours où les écoliers se croyaient tout permis et où, avec tambours et enseignes, ils allaient de collège en collège se donner des aubades —, chaque collège avait sa fête. Celle du *Collège du Cardinal Lemoine,* par exemple, avait lieu le 12 janvier : les anciens élisaient l'un des leurs qui prenait la place du fondateur, mort en 1313, et, revêtu de pourpre, assistait à la messe avant de diriger les réjouissances au cours desquelles les élèves déclamaient des vers satiriques et, peut-être, donnaient des représentations théâtrales. Ces fêtes scolaires obéissaient donc au même principe que la *Fête des Fous.*

Bien entendu, la plupart des corporations avaient aussi leurs fêtes propres. Les plus célèbres restent les fêtes de la *Basoche,* nom porté par la communauté des clercs de procureurs au Parlement de Paris qui regroupait les jeunes gens initiés à la procédure et se destinant à la pratique judiciaire. C'est en 1305 que Philippe le Bel avait accordé à ces derniers, comme à une corporation, une juridiction autonome pour statuer en dernier ressort sur les différends entre clercs : ainsi était née la *Confrérie de Saint Nicolas* qui, au début du xve siècle — au moment où la classe des légistes était en pleine expansion — devait devenir la *Basoche.* Constituée à l'origine pour permettre aux clercs de parfaire leur long apprentissage du métier juridique, celle-ci présentait une organisation calquée sur celle du royaume avec une hiérarchie élue (un roi, un chancelier, plusieurs maîtres des requêtes, un grand audiencier, un référendaire, un aumonier, un procureur et un avocat général, quatre trésoriers, un greffier, quatre notaires et secrétaires, un premier huissier et huit huissiers), une haute cour de justice modelée sur le Parlement, des cours inférieures à l'image de celles des prévôts royaux, sans oublier une prison. Pour régler les causes dépendant de sa compétence, ainsi que l'impliquaient les statuts, la justice basochiale était rendue deux fois par semaine. Mais, comme le suppose H. G. Harvey [7], très vite, la raréfaction des causes réelles a dû amener les basochiens à plaider, à titre d'entraînement, des causes burlesques inventées de toutes pièces. Peut-être est-ce là l'origine de ces *causes grasses* que l'on faisait plaider vers la fin du carnaval, véritables comédies judiciaires qui se déroulaient au milieu d'une licence excessive. En plus du concours qu'elle apportait aux différentes fêtes populaires, la *Basoche* devait organiser trois fêtes : la première, le jeudi qui précédait ou suivait la *Fête des Rois,* la seconde le 1er mai et la dernière en juin ou juillet. C'est au cours de celle-ci que le roi procédait à la *montre* ou revue de ses suppôts sur le Pré-aux-clercs. Bien que les premières mentions de spectacles dramatiques donnés par la *Basoche* ne remontent pas au-delà de 1424, on peut penser que les clercs, habitués à voir journellement le dramatique spectacle du tribunal, y avaient puisé de bonne heure des idées et des schémas de jeux dramatiques.

Ainsi, l'absence apparente, pendant les temps de guerre, de spectacles dramatiques profanes est-elle compensée par l'existence de multiples réjouissances populaires qui ont des caractères de fêtes, qui toutes expriment une attitude parodique face au réel et sont le fait, principalement, d'éléments urbains jeunes et turbulents appartenant à ces classes qui sont en train de prendre leur essor au milieu du chaos résultant de la décomposition du monde féodal.

La constitution des premières troupes : les associations joyeuses

La fête populaire avec son cortège de réjouissances, qui tend à s'officialiser et à se développer, a pour résultat premier de favoriser la naissance de troupes joyeuses, d'abord temporaires, puis d'*associations joyeuses* non professionnelles mais durables, et qui se retrouvent de ville en ville à l'occasion des différentes fêtes. Le phénomène a sa source dans le rituel de la *Fête des Fous* qui se caractérise par l'élection d'un *Évêque des Innocents* ou d'un *Pape* ou *Roi*

---

7. H. G. Harvey : *The Theatre of the Basoche,* Cambridge, 1941.

des Fous, lequel est chargé de régenter le déroulement des festivités auxquelles participent ses suppôts qui appartiennent aux couches inférieures de la hiérarchie ecclésiastique. Très vite, et parallèlement, les écoliers de la ville, qui se rassemblent pour participer eux aussi à la fête, agissent de même et élisent un *Patriarche* ou un *Prince des Fous.* Et, lorsque la *Fête des Fous,* chassée de l'église, renaît sur la place publique, le phénomène s'amplifie d'une manière extraordinaire, chaque groupe social formant sa propre *société joyeuse.* Des troupes diverses, formées d'éléments hétérogènes, fleurissent ainsi dans la même ville. Lille, à la fin du xve siècle, n'en compte pas moins de sept : la troupe de l'*Évêque des Fous,* celles du *Pape de Guingans,* de l'*Empereur de la Jeunesse,* du *Prince des Coquarts,* du *Prince de Peu d'Argent,* du *Prince de la Sottrecque* et celle, enfin, du *Prince de Sottye.* Il en est de même dans la plupart des villes du Nord. Parfois aussi, comme le rapporte Philippe de Vigneulle dans sa *Chronique,* des troupes de quartier se fondaient spontanément pour les besoins de la fête :

> Au gras temps, le gras mairdi 1497 [...] avoit a Porcelis une grosse compaignie de voisins, lesquels entr'eux avoient faict ung abbé, et estoit celluy abbé Cotturier, jonne homme et le millieur compaignons du monde; celluy abbé, avec touttes son abbaye, femmes et hommes, furent mendés pour aydier a conduire le geans et la geande, et furent priés aux nopces, et il y vinrent tous, femmes et hommes, josnes et vieulx, cy richement abilliés et desguisés qu'il n'estoit possible de mieulx, et estoit chose honnorable et merveilleusement joyeuse : et fut lis un dictier devant la grant église par ung prestre abilliez en folz nommé messire Hugo Hairan, lequel estoit montés sur ung chevaulx et disoit chose pour rire touchant le mariaige du geans et de la geande, et courroit tout le puble après pour les veoir; et au retour furent ramenés en la cour du dit sieur Nicolle de Heu, sieur d'Ainery, et là fut juée une tres bonne et joyeuse fairce; et puis ce fait, on remenoit ledit geans et ladite geande en l'hostel dudit sieur Regnault, et les mist on couchir ensemble pour faire des josnes.

Il faudrait encore ajouter à ces multiples troupes les nombreuses *sociétés de buveurs et de joueurs* comme la *Confré-*

rie des Fumeux à la tête de laquelle se trouvait E. Deschamps à la fin du XIVe siècle.

A côté de ces troupes laïques hétérogènes, constituées par de joyeux drilles, mentionnons encore celles que forment les écoliers à l'intérieur de chaque collège et surtout celles des basoches dont le nombre se multiplie. Rappelons, en effet, que la *Pragmatique Sanction* eut pour conséquence immédiate une prodigieuse accumulation des procès, qui causa une augmentation du nombre des procureurs, des avocats et des clercs, lesquels étaient plus de dix mille à Paris à la fin du XVe siècle. Aussi, à Paris même, la basoche se fractionne-t-elle; chaque cour de justice a la sienne : à la *Basoche du Palais* s'ajoute celle des *Clercs du Châtelet* et l'*Empire de Galilée* qui regroupe les clercs de la Chambre des Comptes. Dans le même temps, des basoches naissent auprès de chaque parlement de province, à Aix, Avignon, Bordeaux, Chambéry, Chartres, Chaumont, Dijon, Grenoble, Loches, Lyon, Marseille, Moulins, Orléans, Poitiers, Reims, Rouen, Toulouse, Tours, Verneuil. Plus nombreuses au Centre et au Sud de la France — dans les pays de droit romain —, les *basoches* semblent avoir cédé la place aux *compagnies joyeuses* dans le Nord et dans les Flandres. Bien souvent d'ailleurs, là où elles coexistent, basoches et compagnies joyeuses fusionnent. C'est ainsi que la *Société des Enfans-sans-soucy* — ou *Gallans-sans-soucy* —, société laïque composée, d'après Petit de Julleville, de jeunes et joyeux garçons de bonnes familles et dont le chef portait le titre de *Prince des Sots,* ouvre ses rangs aux basochiens, à tel point que l'on a pu dire que « tous les basochiens n'étaient pas des sots; mais beaucoup de sots étaient basochiens ». Or, il se trouve que, dans toutes les villes où cette coopération s'effectue (Paris, Lyon, Dijon, Rouen...), apparaît, dès le milieu du XVe siècle, un théâtre comique qui trouve rapidement une large audience puisque le Parlement commence, dès 1442, à exercer sur les productions de la basoche une censure qui se durcit vers 1473 et s'étend aux écoliers à partir de 1483. Mais, heureusement pour l'avenir du théâtre comique populaire, l'Université laissera bien souvent la bride à ses écoliers.

Ces différentes constatations incitent donc à lier l'apparition du théâtre profane populaire et comique à la fête carnavalesque qui a suscité et favorisé la naissance des *sociétés joyeuses.* Bien qu'en l'absence de véritables troupes professionnelles [8] — qui n'apparaissent pas avant le XVIe siècle —, il ne faille pas sous-estimer le rôle qu'ont pu jouer les *farceurs* de métier auxquels on faisait appel pour égayer les fêtes familiales.

Les enseignements d'une géographie théâtrale au milieu du XVe siècle

Si l'apparition d'un théâtre profane comique n'est pas sans rapport avec la brusque floraison des fêtes populaires qui semblent traduire une brutale prise de conscience de la libération apportée par la transformation profonde de la mentalité, des structures sociales et de la hiérarchie des valeurs qui s'est opérée pendant le siècle de guerre, on ne peut nier qu'un autre facteur déterminant soit intervenu. En effet, lorsque l'on essaie de localiser géographiquement l'aire des premières manifestations théâtrales profanes organisées *(farces* et *sotties),* on s'aperçoit que celle-ci correspond très exactement aux régions dont le développement commercial et industriel a été stimulé par Jacques Cœur dès 1438, soit une bande diagonale du territoire français comprise entre la Loire, la Seine et la Saône et se prolongeant le long du Rhône. Pour le reste, excepté le cas de quelques grandes villes, toute la zone située au Nord de ce territoire reste le domaine presque exclusif de la *Fête des Fous* — des *jeux de carnaval* lorsque l'on se rapproche de l'Allemagne — et celle située au Sud-Ouest, l'aire d'un théâtre dialectal à caractère surtout religieux.

Il fallait donc, pour que naisse un véritable théâtre, que l'exubérance déchaînée des masses populaires soit canalisée, intellectualisée, par cette force nouvelle que représente la bourgeoisie moyenne, dont le rapide épanouissement (per-

---

8. Nous laissons volontairement de côté les *confréries sérieuses* qui, résultant de la transformation des *puys,* apparaissent dès la fin du XIVe siècle (1398 : *Confrères de la Passion*) et se spécialisent dans les représentations dramatiques religieuses.

mis par le relèvement économique d'une partie du territoire, condition première d'une prise de conscience politique) avait donné une importance grandissante au rôle des parlements de province, autour desquels se sont rapidement créées des basoches (foyers de fermentation des idées politiques nouvelles) dont la forme d'expression dramatique a rapidement influencé le théâtre populaire naissant comme celui des écoliers. On comprend mieux ainsi pourquoi le XIIIe siècle n'a pas été celui de la naissance du théâtre comique populaire : toutes les conditions n'étaient pas remplies, excepté peut-être dans la très particulière région industrielle du Nord. Mais de tels facteurs n'allaient pas être sans influencer la genèse des formes du théâtre profane comique, en ses débuts tout au moins.

3

Les premières manifestations d'un théâtre populaire spontané

Les premières manifestations dramatiques spontanées sont vraisemblablement apparues dans le cadre de la fête populaire, de cette fête qui « marquait [...] une interruption provisoire de tout le système officiel avec ses interdits et barrières hiérarchiques », et qui permettait à l'homme du Moyen Age de se libérer de ses peurs et de ses inhibitions dans un jeu joyeux et « entièrement débridé avec tout ce qui [était] le plus sacré, le plus important aux yeux de l'idéologie officielle ». Elles sont d'abord individuelles et, comme le caractère général de la fête l'exigeait, parodiques. A l'origine, simples bouffonneries destinées à provoquer le rire et fondées sur l'exploitation systématique d'un procédé, elles deviendront, dès l'instant où l'identification du récitant à un personnage parodié ne sera plus considérée comme un simple artifice de présentation d'une matière comique en soi, mais comme la finalité même du genre, de véritables manifestations d'un art dramatique populaire. Ajoutons que la fête populaire étant liée au Moyen Age à la vie religieuse — la *Fête des Fous* en est un exemple — on ne peut s'étonner de constater que les premiers jeux dramatiques qu'elle suscite se soient d'abord appuyés sur une parodie des manifestations de la vie religieuse avant de s'attaquer aux autres manifestations de la vie quotidienne.

Les parodies de la vie religieuse

Fêtes familiales

Les premières parodies à caractère dramatique ont vraisemblablement été le fait des *menestriers et farceurs* que l'on engageait pour amuser l'assistance lors des réunions familiales et plus particulièrement lors des banquets de noces. Dans cette atmosphère bien particulière et où les plus grosses plaisanteries étaient permises, ils ne pouvaient manquer, pour donner plus d'actualité et de pouvoir comique au répertoire de gauloiseries qu'ils tiraient de la tradition narrative, de le présenter sous une forme adaptée aux circonstances : de fait, c'est la plupart du temps un sermon burlesque qu'ils adressent à l'auditoire, contrepartie exacte de celui qui avait été entendu le matin même lors de l'office religieux. Telle semble avoir été la genèse — et la destination — du *Sermon pour une nopce* de Roger de Collerye, du *Sermon auquel est contenu tous les maux que l'homme a en mariage,* du *Sermon contenant le menage et la charge de mariage* et de bien d'autres. En général, les sermonnaires burlesques empruntent leur matière à cette bible comique de l'antiféminisme qu'ont été *les Quinze Joyes de mariage,* recueil de nouvelles qui peignent, avec un luxe de détails, tous les maux qui attendent le malheureux qui se laisse prendre à la « nasse ». Ce sont là des thèmes qui, dans le contexte de la noce, se chargent d'un regain de comique, surtout lorsque le prédicateur déclare aux nouveaux époux : « Si en arez vous ceste endosse / Vous aultres jeunes mariés »! A cette matière comique, le sermonnaire ajoute fréquemment des gauloiseries et des obscénités de son cru : préambule sur le thème « sans instrumens, on ne faict rien », ou conseils aux jeunes mariés sur la manière dont ils doivent se comporter pendant leur première nuit dans le *Sermon pour une nopce,* on utilise des procédés comiques éprouvés comme celui des longues accumulations hétéroclites de substantifs désignant les objets dont le jeune marié a la charge de pourvoir le ménage (70 vers dans le troisième sermon cité), véritable flot verbal qui s'adresse à l'ouïe et fait naître l'euphorie. Généralement l'amuseur termine sa péroraison par des exhortations morales burlesques comme celui du *Sermon pour une nopce* qui déclare que toute « fillette » :

Jamais de son corps l'union
Ne doit consentir, s'elle est sage
Sans or, ou argent ou bon gage.

C'est là une démarche rendue obligatoire par l'artifice de présentation adopté par le menestrier pour débiter sa matière comique : n'a-t-il pas choisi de faire entrer cette dernière dans un cadre parodique de sermon? Et de fait, toutes ces pièces débutent, après un signe de croix burlesque, par une citation en latin de cuisine qui, comme dans les pièces sérieuses, sert de thème au sermon :

In nomine Bachi Sileni
Matrimonia, Matrimonia
Mala producunt omnia

Cette citation est suivie de sa référence burlesque — et souvent scatologique — et d'un préambule qui développe le thème. Puis, après s'être désaltéré, le sermonnaire attaque les deux grandes parties de son sermon dans lesquelles il a regroupé sa matière comique, de manière à en faire des parodies de l'exposé dogmatique et du point de morale qui constituaient les deux temps principaux du sermon sérieux. Bien entendu, chaque partie se termine sur le rappel de la citation-thème et le sermon se clôt sur une exhortation à la prière.

L'artifice de présentation utilisé implique donc une attitude dramatique. Parfois d'ailleurs, comme le précisent quelques annotations scéniques, le menestrier se déguisait. Pourtant, ces morceaux appartiennent-ils au théâtre? Il est permis d'en douter, car il semble que le menestrier cherche plus à faire rire de ses plaisanteries que du type auquel il emprunte l'attitude et les structures professionnelles qui le déterminent : le fond prime la forme qui sert uniquement à le mettre en valeur. C'est la raison pour laquelle le cadre parodique, dont l'idée est due aux circonstances, est réduit à ses éléments essentiels et obligés; il ne semble pas que l'amuseur ait eu conscience des possibilités qu'offrait le procédé.

La fête populaire
Lorsque l'amuseur ne trouve pas dans les circonstances le thème de ses plaisanteries et un auditoire motivé et facile à faire rire — comme celui d'une noce —, il lui faut accentuer le caractère parodique de son sermon pour décupler par la forme le comique du fond : en gagnant la place publique, le sermon devient, par nécessité, plus dramatique et doit de plus en plus son succès à sa forme. Apparaissent alors de nombreux sermons burlesques qui parodient le contenu du sermon sérieux, son enseignement didactique et ses exhortations morales. Aux utilisations à des fins édifiantes par les sermonnaires des *vies de saints* vont correspondre des sermons sur des saints facétieux : *saint Oignon, saint Belin, saint Hareng, saint Jambon, sainte Andouille, saint Velu, saint Billouart, saint Frappe-culz...,* saints qui sont autant d'illustrations des deux pôles euphoriques du comique médiéval : le ventre et le sexe. Comme leurs sujets l'impliquent, ces sermons devront, pour atteindre leur effet, être les calques parfaits des textes sérieux qu'ils parodient : le *Sermon de saint Haren* est la démarcation exacte d'un sermon sur la vie de *saint Laurent* martyrisé sur le gril. La forme parodique devient donc un des éléments constitutifs du genre — en tant que cadre mnémotechnique nécessaire et suffisant — et, de ce fait, l'aspect dramatique l'emporte sur l'aspect narratif.

Non seulement ces sermons présentent le plan en trois parties de leur correspondant sérieux — un préambule plus ou moins long, suivi du corps du sermon qui se déroule en deux temps, le premier consacré au récit de la vie du saint et de son martyre, le second à la liste des miracles dont les humains lui sont redevables, ce qui permet d'amener la traditionnelle conclusion composée d'exhortations morales et d'un appel à la prière — mais de plus, les procédés utilisés et le respect de la progression rituelle au niveau même de chaque partie contribuent à rendre constamment sensible l'intention parodique dont ils témoignent. Après le signe de croix parodique et l'énoncé de la citation-thème en latin macaronique — souvent composée soigneusement en vue d'un double sens obscène et suivie de sa référence burlesque —, le sermonnaire demande silence et attention à son auditoire pour préciser et situer son sujet. Puis il réclame à boire — geste parodique qui de plus situe le prêche dans le contexte euphorique de la fête, car c'est de vin que notre homme entend se désaltérer —, annonce son plan et invite le public à la prière :

... Ainçois
Que plus avant nous procedions
A ceste prédication,
Nous ferons salutation
Et nous mettant sans nuls debats
Le dos en hault, le ventre en bas
Honnestement sans estre infames
Les hommes par dessus les femmes

(Saint Billouart)

C'est ensuite le rappel de la citation-thème, le début de la première partie sur une autre citation latine et le récit du martyre du saint. Cette partie repose largement sur les talents de conteur et l'imagination du récitant qui rapporte dans un ordre pseudo-chronologique les déboires de la victuaille ou de l'organe promu au rang de saint, en appliquant systématiquement le procédé du sérieux dégradé par transposition de registre. C'est ainsi que *Saint Ongnon*

D'ung tirant fut trop mal mené :
A Sainct Ongnon persa la peau
Et l'escorcha d'ung bon cousteau;
En trente pieces le despeça.

C'est à ce même art de conteur que fait appel la seconde partie consacrée à l'exposé des « miracles » du saint. L'esprit imaginatif des auteurs se donne libre cours et les trouvailles sont parfois heureuses : saint Ongnon est capable de faire pleurer à chaudes larmes le cœur le plus endurci qui assisterait aux obsèques d'une personne dont il aurait désiré la mort; il peut aussi rendre savoureuse une viande avariée! Lorsque l'imagination fait défaut au conteur, il puise dans le vieux fonds narratif que constituent les fabliaux et il actualise son prêche en interpellant — ainsi que le faisaient des prédicateurs sérieux comme Olivier Maillard — son auditoire dont il fait mine de susciter les questions. C'est là une parodie précise du contenu et des méthodes du sermon sérieux, ainsi que le prouve, par exemple, la lecture du sermon *Beati qui audiunt verbum dei* du Religieux dans la *Moralité de Charité.*

Le désir de suivre point à point le modèle parodié apparaît nettement dans la conclusion de ces sermons qui n'oublient pas les conseils moraux, l'octroi de pardons à ceux qui ont écouté avec attention et l'appel final à la prière. Ici, le sermonnaire burlesque prend le contre-pied systématique de son homologue sérieux; il recommande de bien boire et bien manger :

De riens payer sans demander
Et de pesant fardeau charger
D'aller a pied en long voyage
Et (que) n'entrez point en mariage

ou invite à prier pour tous ceux que le prédicateur sérieux fustigeait : femmes de mœurs légères, ivrognes..., car :

Pour cardinaulx et pour evesques
Pour ribaulx et pour archevesques
Ne faut-il ja faire priere.

Ainsi ces sermons se révèlent-ils comme une manifestation de la conception de la fête qui se traduit par le *monde à l'envers.* Plus que les sermons de repas de noces, ils semblent obéir à un souci de dramatisation, et le cadre parodique, la forme prennent autant d'importance que le fond. Mais appartiennent-ils pleinement au théâtre? C'est là un problème difficile à trancher : s'ils cherchent à provoquer le rire par rabaissement, ils s'attaquent plus à un rituel qu'à un type et ils doivent leur pouvoir comique autant à leur contenu qu'à leur forme. Ils sont donc plus des *jeux* à caractère dramatique que de véritables pièces de théâtre.

De la fête populaire au théâtre

Si dans les sermons précédents la structure parodique est encore utilisée comme artifice de présentation d'un fond burlesque et souvent grivois, elle se fait, nous l'avons dit, plus précise et respecte le déroulement du sermon sérieux dans ses différentes parties et dans son esprit. De ce fait, l'identification du récitant à un personnage joué tend à se faire plus profonde, même si elle n'est pas encore l'unique fin recherchée. Pour qu'elle le devienne et pour que le sermon burlesque quitte la place publique pour la scène, il suffira d'atteindre à un respect minutieux jusqu'au détail de la structure parodiée et de son ton, qui, tout en accentuant l'opposition entre le sérieux de la forme et le burlesque du fond, accorde la primauté à la première, donc au jeu scénique sur le récit. D'ailleurs le fond lui-même se transforme : à l'anecdote et au récit linéaire se substitue une dialectique comique persuasive dont les procédés sont de plus en plus techniques. Et la vogue du genre s'étend à tous les milieux : milieu populaire *(Sermon d'ung cartier de mouton),* milieu des écoliers *(Sermon de la Choppinerie)* et compagnies de sots *(Sermon de grant value a toulx les foulx).* De la parodie d'un genre on s'achemine peu à peu vers la création d'un type : celui du sermonnaire burlesque.

En effet, dans ces derniers sermons, il semble que le souci premier du récitant ait été de parfaire son identification à un type donné : non seulement il a recours à un déguisement — et des annotations scéniques ou des fragments de discours le prouvent —, non seulement il multiplie les appels directs à l'assistance, qu'il aborde et quitte avec des formules caractéristiques du théâtre, ainsi que le faisaient les vrais prédicateurs (questions, dénonciations, exhortations à la seconde personne [1]), non seulement, encore, il reprend les « tics » oratoires du sermonnaire sérieux — par six fois le récitant du *Sermon de grant value* cingle l'assistance d'un « levez tous vos cueurs » —, mais surtout le choix même de

---

1. On note ainsi plus de trente appels dans le *Sermon de grant value :*
Or ça, Seigneurs qu'en dictes vous?
Par vostre foy, a il nulz foulx
Icy de ceulx que je vous ditz?
Or vrayement j'en voy plus de dix
devant mes yeux...

Et si me demandez : « Beau pere
Qui sont ces sotz? » Certes beau frère...

ses thèmes implique une volonté didactique parodique que rehausse la prédominance des verbes déclaratifs à la première personne. Cette rhétorique subtile entre le *je,* le *nous,* le *tu* et le *vous,* qui témoigne du désir d'action personnelle du locuteur sur l'auditeur, souligne l'effort d'identification du récitant au type qu'il parodie.

Cet effort du récitant pour s'identifier pleinement à un type se traduit d'abord par un respect scrupuleux, jusqu'au niveau du détail, de la structure parodiée. Non seulement le déroulement du sermon est conforme aux normes — le *préambule* est complet; le *corps du sermon* développe de manière équilibrée et progressive le plan annoncé dans l'*exorde :*

> Affin que je ne soys confus
> En mes parolles je conclus
> Que troys parties nous ferons :
> *In prima parte* conclurons
> *Qualitatem fatuorum;*
> *Pro secunda* nous parlerons
> *De quantitate stultorum;*
> *Immo pro tertia parte*
> *Ut nostra reperitur in arte*
> *De modo eorum vivendi.*
>
> *(Sermon de grant value)*

et la *conclusion* reprend les traditionnels conseils moraux et l'appel à la prière — mais, de plus, la citation-thème du sermon est le plus souvent exacte — ainsi que sa référence — ce qui contribue à douer le pastiche de vraisemblance. Enfin, et ce n'est pas là le moindre détail, ces sermons sont truffés de citations latines secondaires qui servent, comme dans les textes sérieux, à appuyer sur l'autorité des *Écritures* la conclusion à laquelle on est parvenu par raisonnement déductif :

> Et pour le vray dire telz folz
> Sont contens de la gloire avoir
> Du monde et rien ne scavoir :
> *Quomodo nix in estate et pluvia in messe*
> *Sic indecens est stulto gloria.*
> *Proverbio vigesimo, sexto capitulo.*
>
> *(Sermon de grant value)*

ou sont le point de départ d'un raisonnement :

La question est difficile :
Vous avez dedans l'Évangile
Multi sont vocati, pauci vero electi
Que dict cela? Cela veut dire...
(Sermon de grant value)

Ce respect scrupuleux de la structure parodiée met en œuvre une nouvelle forme de comique; un comique d'opposition entre le sérieux de la forme et le burlesque du fond qui a pour effet de conduire à la satire du type, donc de diriger le rire plus contre le personnage que contre ses paroles. Ce désir de procéder à la satire d'un type est notamment sensible dans l'utilisation que fait de la citation latine secondaire le *Sermon de la Choppinerie,* dû sans doute à des écoliers : ici, ces citations en latin de cuisine sont suivies de leur traduction en faux sens volontaire, excellent moyen de faire la satire du pédandisme des doctes qui cherchent à asseoir leur autorité sur les consonances latines dont ils émaillent leurs discours :

Et proelio Martis habent
Et pour l'eaue que Martin a beue...

La boisson des nobles supposts
Laquelle ne gist pas en pots [...]
Nec signum crucis in celo
N'aussy en cruches ne en celiers...

De telles œuvres sont de véritables pièces de théâtre; d'ailleurs le sermonnaire de la *Choppinerie* a recours à un comique d'ordre scénique : il simule une dispute — rapportée au style direct avec effet de changement de voix — entre le défenseur de Martin et lui-même qui soutient Nicolas, « nostre patron, nostre soulas / Dont on fait huy sollempnité »!

En accordant la priorité à la forme sur le fond, en faisant reposer le rire sur la satire d'un type, le *sermon joyeux* était devenu un genre dramatique : de ce fait, il pouvait être intégré à de nombreuses *farces* ou servir de point de départ à une mise en scène dialoguée, comme en témoigne le *Sermon de bien boire a deux personnaiges : le prescheur et le cuy-*

sinier. Sur les 355 vers de cette pièce, 171 constituent un véritable *sermon joyeux sur le vin,* fragmenté par les interruptions d'un cuisinier qui essaie de faire taire le prédicateur, l'insulte, se dispute avec lui et finalement réussit à le chasser. Pour transformer un simple *sermon joyeux* sinon en *farce,* du moins en *dialogue,* il suffisait donc d'opposer au rôle principal un rôle secondaire d'interrupteur qui concrétisait les réactions du public : ce n'est pas là la moindre preuve de la valeur dramatique du genre.

Mais les amuseurs du XVe siècle ne se sont pas bornés à parodier les manifestations de la vie religieuse; par une démarche analogue appliquée aux principaux événements de la vie quotidienne, ils vont prendre conscience de l'existence de certains procédés dramatiques et les mettre au point.

Parodies de la vie quotidienne

La vie administrative et politique : les mandements

De bonne heure, les jongleurs avaient fait preuve à l'égard du pouvoir officiel de la même irrévérence dont ils témoignaient envers l'Église. E. Faral admet les conjectures de Jubinal, selon qui les jongleurs suivaient les hérauts publiant par les rues les traités de paix et donnaient, en le parodiant, lecture d'un texte qu'ils avaient rendu bouffon; lui-même remarque que les deux *chartes* qui suivent le monologue de la *Paix aux Anglais,* daté de 1259, sont « en style de chancellerie dérisoire, le texte d'un accord grotesque passé entre les rois de France et d'Angleterre », le second se présentant comme une parodie et une satire du traité de Montreuil par lequel Philippe le Bel rendait la Guyenne à Édouard III.

De la même manière, tous les textes administratifs vont être ainsi parodiés : *ordonnances* royales, *chartes* et *privilèges* accordés aux confréries... La vogue du genre commence au XIVe siècle et s'étend avec la prolifération des confréries joyeuses qui toutes ont leur charte bouffonne. E. Deschamps lui-même nous a laissé une *Charte des Fumeux,* 254 vers adressés à tous les officiers de l'empire des Fumeux (buveurs et joueurs) pour les « esclaircir sur leur manière et leur condicion premiere ». Au XVe siècle, le genre fait partie du répertoire de la fête populaire, comme le laissent penser la *Lettre d'Escorniflerie* et les *Lettres nouvelles... concedées et octroyées jusques a cent et ung an a tous ceulx qui desirent estre mariez deux foys,* datées de 1537.

La genèse de ces textes est simple; elle consiste à présenter les thèmes comiques traditionnels (le vin, les femmes) dans une structure burlesque qui respecte le plan des *ordonnances royales :* adresse, exposé des motifs qui ont présidé à l'élaboration de l'acte, jugement rendu, ordre d'exécution et exposé des pénitences encourues en cas de non respect de l'ordonnance. Au niveau du détail, on se borne à intégrer au texte bouffon les formules juridiques traditionnelles, en leur ajoutant parfois quelques mots de commentaire burlesque qui les font éclater :

> Taste Vin, par la grace de Bachus, roy des pions, duc de glace [...] a tous ceulx qui ces presentes lettres verront et orront, ne seront sours ne aveugles, salut. Scavoir faisons a tous nos feaulx seigneurs [...]. Item, voulons et ordonnons en mandement aux dessus dits [...] car par ces presentes leur en donnons plain pouvoir et puissance. Mandons et commandons a tous nos subgets et oultre deffendons par les ordonnances dessus dictes [...] sur peine de incarceration de corps et ravissement de biens et d'estre bannys de nos royaulmes. Donné a haste en nostre ville [...] et scellé de paste par defaulte de cyreverte, ces octaves Sainct Jehan [...]. Ainsi signé pour copie par Maistre Jehan Livrognet, nostre grant conseillier et premier chambellan [...]. Fait et passé es presence de [...]. *(Lettre d'Escorniflerie)*

Il est évident qu'une telle genèse renforce le pouvoir comique des thèmes burlesques — elle ordonne juridiquement la libération des instincts — mais, de plus, elle les dramatise en impliquant l'identification du récitant à un tiers, héraut royal. D'ailleurs les procédés comiques utilisés — tel celui des longues accumulations verbales dans la *Lettre d'escorniflerie* qui s'adressent à l'ouïe pour créer l'euphorie — laissent penser que ces morceaux ont pu être débités sur les planches à l'occasion de festivités ou servir d'intermèdes entre deux pièces d'un spectacle.

La vie juridique : les testaments

Le plus ancien *testament burlesque* que nous possédions est sans doute celui que nous a laissé E. Deschamps qui vers 1380 rédigea en 104 vers « la manière de son testament par esbatement ». Ce premier texte, destiné à la lecture, présente déjà l'amorce des procédés qui seront plus tard mis au point par Villon dans son *Grand Testament.* C'est vraisemblablement l'immense succès rencontré par cette dernière œuvre — et qui était dû tout autant à la personnalité même de Villon — qui a suscité à son auteur de si nombreux disciples qu'il est permis de penser qu'à la fin du xve siècle et au début du xvie le *Testament* était devenu un véritable genre non seulement poétique mais encore dramatique : le seul *Recueil de poésies françoises* d'A. de Montaiglon et J. de Rothschild nous en donne cinq exemples (les *testaments* de *Jenin de Lesche,* de *Ruby de Turcquie,* de *Ragot,* de *Taste-Vin,* de *François Levrault*) qui tous ont dû être déclamés sur les planches — ce à quoi les prédisposait naturellement le fait qu'ils sont écrits à la première personne — comme en témoigne le préambule du *Testament de Ragot :*

> Ce nonobstant, pour venir a mes fins
> Devant le peuple qui est icy present
> Tous cordeliers, carmes et Augustins,
> Gueux de Lubie, cagnardiers, gonfarins,
> Soyez tesmoings de mon grant testament.

Le plan est très simple : selon la tradition, le testament débute par la présentation du testateur et l'énoncé des raisons qui le conduisent à faire son testament, puis on passe au corps du testament qui comprend les vœux et les legs et on termine sur un appel à la prière ou un adieu. C'est évidemment la partie consacrée aux legs qui est la plus importante : elle occupe bien souvent les deux tiers ou les trois quarts du texte.

La première partie, qui s'appuie sur la parodie de la réalité, est d'ordre essentiellement dramatique et suppose un mime. Elle comporte obligatoirement, après le signe de croix rituel — et souvent parodique comme dans le *Testament de Taste-Vin :* « Au nom du pot, ou nom du verre, ou nom de la grosse bouteille » —, la déclaration traditionnelle que le testateur est à l'article de la mort, mais reste néanmoins sain d'esprit [2] :

Je, Taste-Vin, Roy des pions
Sain d'engin, malade de corps...

Bien souvent, cette introduction est grossie d'apports nouveaux qui visent à renouveler le sujet par le biais d'une mise en scène différente et témoignent d'un souci de recherche dramatique. C'est ce qui se produit dans le *Testament de Jenin de Lesche :* celui-ci, loin d'être à l'article de la mort, apparaît en scène costumé en pèlerin et nous apprend qu'il ne fait son testament que pour le cas où la mort le trouverait sur le chemin du Mont-Saint-Michel, parce qu'il pense que « aussi tost meurt veau que vache »! Après ce préambule, commence le testament proprement dit, qui comprend d'une part les derniers désirs du testateur et d'autre part ses legs. Les vœux, en général très courts, concernent la sépulture et sont en rapport étroit avec le caractère du testateur dont ils achèvent en quelque sorte la peinture, participant ainsi à l'aura de sérieux dégradé qui baigne l'ensemble de la pièce et lui donne son aspect parodique : Jenin de Lesche, le sot, demande que son corps soit ramené à *Sainct Innocent;* Taste-Vin veut être enterré

---

2. Ce qui correspond au huitain X de Villon, qui, suivant le plan normal, emploie à des fins parodiques des formules stéréotypées qu'il fait suivre d'un vers de commentaire ironique :
Pour ce que foible je me sens
Tro plus de biens que de santé
Tant que je suis en mon plain sens;
Si peu que Dieu m'en a presté
Car d'autre ne l'ay emprunté.
J'ay ce testament tres estable
Faict de derniere voulenté
Seul pour tout et irrevocable

auprès de taverne la belle; quant à Ragot, le capitaine des gueux, il désire que l'on dresse sa statue et que l'on représente autour ses « miracles ». Les vœux s'arrêtent là, excepté pour Jenin de Lesche qui règle minutieusement les détails de son enterrement : pas de cierges, car il ne les verra pas; pas de cloches, car il ne les entendra pas; pas de chants, car il n'aura pas le cœur en joie! Excellente parodie par opposition systématique à la tradition et qui permettait vraisemblablement à l'acteur des mimiques et des jeux de scène du plus haut effet comique.

Viennent ensuite les legs. Comme chez Villon, ils sont destinés à des gens connus dont on veut mettre en évidence les défauts — en leur léguant un objet approprié — ou se venger, ou à des groupes sociaux dont on veut faire la satire — religieux, mendiants, gueux, prostituées, hommes de justice, sergents... Comme chez Villon, la plaisanterie consiste à faire des legs inconsistants, infamants, voire obscènes, ou tout simplement en accord avec les plaisanteries du temps. C'est ainsi que nos testateurs lèguent des objets hors de service (Taste-Vin son « pourpoint tout neuf » qui ne lui a servi « que neuf ans »), des objets sales ou des résidus (Ruby de Turcquie laisse aux élégants de la ville ses « vieulx drapeaux sales »), des valeurs inexistantes (c'est sa bourse vide que Taste-Vin abandonne aux « quatre mendiants » et des dettes que Ruby de Turcquie lègue au curé et au chapelain), des moqueries plus ou moins charitables (« Aux Quinze Vingtz je laysse mes lunettes » déclare Ruby de Turcquie), des legs vengeurs qui consistent à transmettre ses maux à ceux à qui on veut du mal (F. Levrault souhaite aux « quantonières » de la ville la vérole et une fin à la porte de quelque église, et Ragot donne ses poux aux médecins et aux Jacobins), ou, enfin des legs traditionnels (Taste-Vin donne ails, oignons et chair salée aux amoureux de « vinée » et il propose le gros bâton dont il se soutenait lorsqu'il était ivre « a ceulx qui ont femmes noyseuses »; Ragot lègue son « billouart » aux nourrices). En général, et cela est surtout sensible dans le *Testament de Ruby de Turcquie,* les legs sont empruntés en droite ligne à Villon dont on reprend parfois les termes et toujours les idées.

Après les legs, le testament se termine traditionnellement par la désignation de l'exécuteur testamentaire et l'adieu. Cette désignation est, elle aussi, source de comique : Jenin de Lesche désigne le « trippier Sainct Innocent ». Quant à l'*adieu,* qui peut à lui seul justifier le titre comme dans le *Testament de Carmentrant,* il est parfois remplacé par un appel au souvenir ou par l'octroi de pardons et d'une bénédiction : Ragot, qui entend trépasser en odeur de sainteté, promet en effet force pardons « a tous ceulx-là qui, par dévotion escouteront le Testament Ragot ». N'est-ce pas là une preuve supplémentaire de l'interprétation dramatique de ces textes [3], beaucoup plus proches du monologue dramatique que du sermon joyeux?

Les superstitions campagnardes : les pronostications

Les amuseurs publics vont aussi s'attaquer, dans des textes parodiques à caractère dramatique, à cette force que représente la superstition et qui avait contribué au succès des *calendriers* ou *almanachs* que l'imprimerie avait permis de répandre dans les campagnes et dont les auteurs « se fondant sur les croyances astrologiques de l'époque, de la façon la plus singulière, mêlaient des prédications sur le temps probable de chaque saison aux traditions et aux préjugés les plus en vogue ». Si le texte le plus célèbre reste *la Pantagruéline Prognostication* de Rabelais, parue en 1533, beaucoup d'autres l'ont précédé ou suivi.

Les *calendriers* ou *almanachs,* rédigés en prose, étaient découpés en chapitres qui étudiaient successivement les conjonctions astrales pour l'année et en déduisaient des prédictions sur le temps de l'année en général, des quatre saisons, des douze mois; ils annonçaient des phénomènes comme les éclipses, insistaient sur le rôle de la Lune, des signes du Zodiaque et en montraient l'influence sur la vie des hommes en général, sur leur comportement caractériel, sur les maladies, sur la mort des grands du royaume, sur les naissances, sur la paix, sur la guerre; pour terminer, ils donnaient des prédictions sur la vie matérielle courante de

---

3. Leur intégration à la farce, comme dans le *Testament de Pathelin,* en est une autre.

l'année à venir, sur les « états du commun peuple ». Parfois même les prédictions s'attachaient au sort de villes particulières.

C'est ce plan que reprennent, à des fins parodiques, les *pronostications* bouffonnes. Dans ces textes, c'est le début qui a le plus d'importance, car c'est sur lui que repose l'identification de l'acteur au personnage parodié qui donne à la déclamation son caractère dramatique. En effet, ainsi que le faisaient les astrologues, il faut commencer par impressionner l'auditeur par tout un étalage d'érudition qui dépasse sa connaissance, l'effraie et le conduit à prendre au sérieux les prédictions qui suivent; d'autre part c'est de l'opposition entre cette attitude de départ et le prosaïsme des prédictions que naît le comique. Ceci implique une imitation du verbiage des astrologues et suppose un ton adéquat :

Ceste prenostication
Diligemment j'ay composée
Selon la constellation
Du signe regnant ceste année
Un long temps aura sa durée.
Jupiter faict conjunction
Comme on la trouve figurée
Avec le signe du Lyon.

(Pronostication nouvelle plus approuvée que jamais)

Mais, le cap de l'introduction franchi, le fond burlesque s'oppose à la forme sérieuse du départ. Certains textes d'ailleurs tournent en ridicule dès l'entrée en matière l'étude des signes du Zodiaque :

Mais aultre signes regneront
Sur gens et bestes et seront
Escorpions es chauldes places,
Les bons thoreaulx dessus les vaches
Les gras moutons sur les bouchers
Les ballences sur les greffiers...

(Pronostication de Molinet)

Les prédictions bouffonnes qui composent le fond comique s'exercent parodiquement sur le concret, et de manière non sibylline. Cette volonté de concrétisation et de prosaïsme — en quelque sorte, au-delà du rire, appel au bon sens fondé sur l'expérience — s'exprime dans l'utilisation de procédés qui déterminent en partie le choix des thèmes et qui, dans leur quasi-totalité, sont des manifestations du procédé général du sérieux dégradé. Nous trouvons en effet :

— des évidences :

L'iver de l'annee presente
S'il est froit, ne sera pas chault...
(Pronostication de Tyburce Dyariferos)

— des généralisations d'un fait qui, de par leur caractère, ne peuvent être que vraies :

Et si vin faillent de nature
On le vendra plus cherement
(Pronostication de Tyburce Dyariferos)

Maintz coquus se feront en court
Soit a Paris ou a Lyon.
(Pronostication nouvelle)

— des absurdités par rupture du lien logique entre la cause et l'effet :

Les planettes tel cours auront
Sur le pole equinoxial
Que maintes gens souvent iront
A pié par faulte de cheval.
(Pronostication de Tyburce Dyariferos)

— des invraisemblances notoires qui ont valeur d'antiphrase — ou qu'une précision annule :

Courtizans fuiront les offices
Comme ivrognes font les exces,
Et les conseilliers les espices
Quant ilz rapportent les procès.
(Pronostication nouvelle)

— des jeux de mots qui justifient la prédiction en lui conférant un caractère burlesque :

On aura marché cette année
De noix trop plus qu'on eut pieça
Car chascun dit a la vollée :
Celluy qui a femme, noise a.

(Pronostication nouvelle)

Dans ce genre particulier, nous l'avons dit, les procédés impliquent les thèmes. La démarche satirique consiste ici à prédire ce qui est une vérité déjà perceptible par les sens. De ce fait, par le biais du procédé, le réalisme quotidien prend une valeur comique et devient un thème de choix. Toute la vie quotidienne, avec ses douleurs et ses joies, est évoquée jusqu'aux déboires qui attendent le bourgeois face aux coupeurs de bourses. Mais, comme on pouvait s'y attendre, on fait aussi appel aux thèmes traditionnels : plaisirs de la table, lubricité et duplicité féminines, obscénités, scatologie. On peut évidemment penser que lorsque l'auteur exploite ces thèmes il songe surtout à faire naître un rire franc : il n'empêche que le comique inhérent à ceux-ci est revivifié par la structure parodique et le contexte de la pronostication, et par là il devient un comique d'ordre dramatique.

Cette littérature parodique par laquelle s'opère la transition de la fête populaire au théâtre a permis aux auteurs de prendre conscience de l'existence de procédés dramatiques spécifiques et de les affiner : très vite, comme les *sermons joyeux,* les *testaments burlesques* et les *pronostications* vont être intégrés à des pièces complexes, comme *le Testament de Pathelin* ou *la Sottie des Rapporteurs,* pour les secondes. D'ailleurs la prise de conscience de la valeur dramatique de la parodie entraîne les auteurs à l'appliquer aux types sociaux : ainsi vont naître, après le prédicateur burlesque, les premiers types comiques.

La caricature parodique : les types sociaux

Conscients du fait que la source du rire peut reposer sur l'identification profonde de l'acteur à un personnage parodié (identification qui n'est plus un simple artifice de présentation d'une matière comique traditionnelle, mais devient la finalité même de l'acte comique, et à laquelle ils parviennent grâce à l'utilisation parodique de structures déterminatives prises au quotidien), les auteurs voient s'ouvrir à leurs investigations le vaste champ des comportements humains. Dès lors ils vont s'attacher à stigmatiser dramatiquement les vices et plus particulièrement les manifestations de ce défaut majeur qu'est, en ces siècles de foi et de prise de conscience de la valeur individuelle, la méconnaissance de soi qui se traduit au premier chef par l'outrance sous toutes ses formes. Les premiers types comiques sont tous des *vantards :* hommes à tout faire, soldats fanfarons, amoureux imbus d'eux-mêmes. Dans ces pièces, l'identification profonde de l'acteur à un type dont on veut faire rire (et que souligne la permanence du *je*) est manifestement la seule fin recherchée : aussi pourrons-nous parler à leur propos de *monologues dramatiques.*

Les monologues d'hommes à tout faire

Dès le milieu du XIIIe siècle, nous l'avons dit, les jongleurs avaient placé à leur répertoire des pièces dramatiques qui parodiaient le comportement de types de la place publique dont le métier se caractérisait par un bagou intarissable : charlatans, herbiers, triacleurs, merciers, colporteurs; le *Dit de l'Erberie* en reste l'exemple le plus célèbre. Pourtant, il semble qu'au XVe siècle et au début du XVIe l'intention parodique qui supplante la recherche réaliste oriente les tentatives des auteurs-acteurs dans une autre direction. Le charlatan de l'*Erberie* jouait un rôle dont il était conscient : ses vantardises — et son verbiage — n'impliquaient aucun jugement sur sa personnalité profonde, car elles se justifiaient par son métier et son désir de vendre. A partir du XVe siècle il n'en est plus de même et, excepté le *Monologue de la Fille basteliere* qui est le pendant féminin du *mire* de Rutebeuf, on ne trouve guère que des monologues d'*hommes à tout faire* dont les vantardises traduisent l'inconscience et l'inadaptation à la société. On riait des trouvailles du *mire* de Rutebeuf, on rit maintenant du caractère de ces fantoches, de ces pantins que sont

Maistre Aliboron, Watelet, Maistre Hambrelin, le Varlet ou sa consœur *la Chamberiere.*

Remarquons cependant que le type était apparu dès le milieu du XIIIe siècle sous la plume d'un auteur provençal, Raymond d'Avignon, qui nous a laissé un texte très court. De plus, le *Dit des deux bordeors ribauz* n'avait-il pas inauguré la tradition des formules de vantardises? L'un des jongleurs y déclare en effet :

Il n'a el monde, el siecle, riens
Que je ne saiche faire a point.

C'est là un leitmotiv, que l'on retrouve chez tous nos vantards, qui détermine le type et sert à la fois de thème et de principe directeur à la genèse de leurs monologues. Tous ces vantards sont en fait de pauvres hères qui, par un étalage de leur science supposée et de leurs capacités imaginaires, pensent trouver un maître auquel ils pourront louer leurs services. Aussi conformément à cette donnée, ces monologues se composent-ils principalement d'accumulation de vantardises.

Si, dans le préambule qui lui sert à se présenter, le vantard utilise encore le *topique du voyage* qu'il doit au *mire* de Rutebeuf, celui-ci voit son importance décroître d'un texte à l'autre. Par contre, l'exposition des capacités du personnage prend une importance croissante, soulignée par le nombre des verbes qui introduisent les accumulations : du *je suis* d'Aliboron en passant par le *je sçay* de Watelet, on aboutit au *je suis, je sçay, je fais* du Varlet. Cette multiplication des verbes-clés traduit une transformation dans la présentation du personnage qui, d'un texte à l'autre, devient de plus en plus superficiel, ce qui se marque, dans la composition, par la prééminence de la technique de l'accumulation sur la logique de la construction. Mais cette évolution est-elle le gage d'une volonté d'approfondissement dramatique?

Dans les premières pièces, *Watelet* et *Aliboron,* qui datent des dernières années du XVe siècle, la composition semble obéir à un souci de logique. Dès les premiers vers, *Aliboron* se présente comme un monologue intérieur, un soliloque presque («Je m'esbahis *en moy* tres grandement »), et l'absence de prise à partie du public renforce indirectement la peinture du caractère : le personnage a une telle confiance en lui qu'il n'a nul besoin de l'approbation d'autrui pour s'en assurer; il lui suffit de s'admirer lui-même,. Après le premier dizain de présentation qui obéit à un souci de peinture psychologique, l'auteur place deux dizains dans lesquels la technique prédomine puisqu'ils se composent d'une simple accumulation de noms de métiers que prétend savoir exercer Aliboron. Ces deux dizains sont suivis d'un autre qui traduit la réflexion que l'énumération a suscitée chez le personnage : c'est une constatation suivie d'une conclusion qui entraîne une décision :

> Tant de mestiers me rompent le cerveau
> Et avec ce je suis nud comme ung veau
> Et n'ay de quoy fourbir mes dentz; en somme
> Trouver me fault ung bon mestier nouveau
> Car tous ceux cy ne valent ung naveau.

C'est la première étape du débat intérieur qui a pour suite une réaction en accord avec la psychologie du vantard, une nouvelle affirmation de sa confiance en son propre savoir (« J'en sçay par cuer plus qu'ilz ne font pas livre »), ce qui l'amène à énumérer les sciences dans lesquelles il est passé maître : médecine, astrologie, météorologie, théologie, alchimie (3 dizains). C'est à ce moment qu'il utilise le topique du voyage pour apporter des preuves de sa renommée et justifier l'étendue de son savoir. Pourtant, malgré ce long exposé de ces capacités, notre homme est contraint de constater que, dans le présent, il est dans le besoin et que nul ne vient le secourir, fait qui, après une réaction dictée par l'orgueil (« Mais Dieu mercy, bien me passeray d'eulx »), le conduit à prendre une décision (« C'est assez dit : entrer fault en besongne ») qui l'entraîne dans un long débat intérieur (« Mais je ne sçay par quel bout commencer... Feray je point quelques engins nouveaulx... Nenny, nenny, ces gains sont trop petits... Quant j'y pense, je ne sçay quel mestier / Je doy faire, n'auquel pour le premier / Doy commencer; l'ung et l'aultre me trouble... »). C'est ce débat intérieur qui, implicitement, nous peint Aliboron comme un fainéant dont les actes s'opposent aux paroles : de là le comique. En somme, la construction du monologue suit un ordre logique qui repose sur la progression du raisonnement du personnage, en accord avec sa psychologie, ce qui fait passer presque inaperçue la part prise par la technique pure dans la construction de quelques passages. C'est donc là un monologue profondément dramatique.

Dans *Watelet,* la logique de construction suivie est d'un autre ordre. Après un premier temps consacré à se présenter de manière favorable, en utilisant aussi le topique du voyage comme preuve de sa renommée et de sa science, Watelet passe à l'énoncé de ce qu'il sait faire : la logique de construction consiste alors à passer en revue les différents travaux champêtres dans l'ordre où ils se présentent par associations d'idées (bien entendu, même dans cette première partie, la chaleur de l'emportement amène le vantard à intégrer à sa déclamation des « morceaux de bravoure » constitués d'accumulations sans rapport avec la ligne générale de l'énumération). Cette démarche qui consiste à accumuler des actes possibles de métiers véridiques, ainsi que les produits réels de ces métiers, ne doit son comique qu'au délire verbal qu'elle engendre et sa valeur satirique qu'à son ampleur. Mais dans un troisième et dernier temps, le fil directeur est coupé et l'acteur laisse libre cours à son imagination débridée : les actes empruntés à différents métiers s'accumulent dans un désordre complet et le rythme s'accélère. De *je sçay..., je sçay faire...* on est passé à *je sçay tout faire, je sçay bien... je sçay tres bien...* Au niveau même du détail, on sent que l'auteur cherche à créer par le verbe et le rythme une véritable euphorie en utilisant des techniques d'accélération qu'il reprend plusieurs fois :

> Graver seau / faire candelle
> Taindre couleur / noire / vermeille
> Ganne / perse / verde / mourée...

Ainsi, si le monologue débute sur une ligne directrice qui suit une certaine logique, le fil en est coupé dès le milieu et, par la suite, c'est la technique du délire verbal qui prédomine. De ce fait le personnage nous apparaît plus superficiel qu'Aliboron : ce n'est pas un personnage pensant mais un personnage parlant, caractérisé par le vide intérieur, un véritable fantoche.

Dans les monologues postérieurs cette impression s'accentue, car la technique de l'accumulation prend le pas sur tout souci de composition logique. En effet, les monologues d'*Hambrelin,* du *Varlet* et de *la Chamberiere,* dans leur forme même, se bornent à reprendre dès le départ en la développant, la technique utilisée dans la seconde partie du monologue de *Watelet.* Mieux même, ce qui est une preuve de choix volontaire, chacun de ces monologues reprend à celui qui le précède, des vers entiers, et les passages apportés en supplément sont intégrés à ceux pris au texte précédent selon le seul principe de l'accumulation. Le seul intérêt du monologue réside maintenant dans la longueur [4] et dans l'incohérence de son verbalisme qui accuse le caractère mécanique du personnage lequel devient un être sans consistance, un pantin.

Cette évolution est rendue patente par l'intervention d'un autre facteur. Dans les premiers textes, le *charlatan* et l'*homme à tout faire* étaient d'abord d'inénarrables bavards qui faisaient rire par leur faconde; dans les seconds, le personnage fait aussi rire de ses propos, mais beaucoup plus du tableau qu'indirectement il brosse de lui : c'est de l'opposition entre ce qu'il est réellement et ce qu'il croit être que naît le comique. Si cette opposition est perçue par le personnage lui-même, il la traduit de manière humoristique et son caractère y gagne en profondeur; mais s'il ne la perçoit pas, il devient un fantoche inconscient qui, emporté par son élan, place au nombre de ses qualités les défauts et les vices dont un valet traditionnel est pourvu. Or, d'un texte à l'autre, l'importance accordée à ces derniers s'accroît. Aliboron n'est guère qu'un fainéant couard et vantard, mais il ne l'avoue pas

4. D'ailleurs un tableau de l'utilisation des verbes-leitmotivs traduit cette évolution :

	Je sçay	Je suis	Je fais
Watelet	26	1	-
Hambrelin	88	26	7
Le Varlet	40	32	35

D'un texte à l'autre, la définition du personnage se complète — et s'équilibre — sur le triple plan du savoir, de l'être et de l'acte.

explicitement. Par contre, Watelet mêle inconsciemment à l'énoncé de ses capacités et qualités deux ou trois défauts : il est comédien, joueur et ne tient pas toujours parole. Avec Hambrelin, la liste des vices s'allonge : il est faux-monnayeur, jouisseur, buveur, amateur de bonne chère, beau parleur, incapable de tenir parole, braconnier, joueur et ne s'interdit pas les larcins : il a tous les vices du mauvais garçon, du truand. Or, il met qualités et défauts sur le même plan :

> Je sçay charpenter, fourniquer,
> Je sçay labourer, jardiner,
> Je suis grant avalleur de trippes

ce qui semble indiquer qu'il ne distingue pas le travail du plaisir, le mal du bien, attitude non seulement inconsciente, mais immorale de nature. Quant au Varlet, il pousse plus loin encore les confidences car, entre autres choses, il se vante d'accomplir tous les méfaits que l'on peut craindre d'un valet : non seulement il est un ivrogne intelligent capable de mettre de l'eau dans le vin pour compenser la quantité bue, un bon jouisseur, mais il possède encore parfaitement l'art du cambriolage :

> Je sçays ouvrir et fermer portes
> Crocheter coffres et bahuz
> Et prendre dedans les escuz
> S'ilz y sont, ou bien monnoye;
> Desrober au besoing une oye...

Si l'on ajoute à ces vantardises les incohérences et les absurdités dont il émaille son monologue, on conviendra que le Varlet se révèle comme le type parfait du pantin comique.

Ainsi les monologues d'hommes à tout faire nous font-ils mieux comprendre comment le spectacle de rue — en l'occurrence le boniment de charlatan prononcé sur la place publique un jour de marché — a acquis ses lettres de noblesse en montant sur la scène d'un théâtre. En même temps qu'il devenait spectacle théâtral, le boniment de charlatan, complété par ce qu'avait légué la tradition des joutes de vantardises, était adapté en fonction d'une technique naissante qu'il contribuait à rendre consciente. Le personnage voit peu à peu le réalisme de sa peinture s'effacer au profit d'une outrance caricaturale : il devient un type si populaire que son nom seul suffit à le caractériser. De l'imitation du discours pour lui-même, on passe à un discours révélateur du caractère; d'un personnage qui crée le comique par des effets conscients, on passe à un personnage qui est comique parce qu'il se révèle être un pantin inconscient. Et la construction même des monologues, leur structure profonde, s'adapte à l'évolution du type.

Les monologues de soldats fanfarons

Plus que du désir de faire rire, ces monologues — dont on ne trouve aucun ancêtre dans les *fabliaux* — semblent résulter d'une intention polémique : se livrer à la satire d'un type social honni, le franc-archer. Créées par l'ordonnance du 28 avril 1448, les compagnies de francs-archers se composaient d'hommes du peuple : chaque commune était dans l'obligation de choisir un franc-archer parmi sa population et de l'équiper, et cet archer, dispensé de l'impôt, devait, en temps de guerre, entrer au service du roi. Mais très vite, ceux-ci se livrèrent à des exactions qui dressèrent contre eux l'opinion publique, et ce d'autant plus qu'ils se révélèrent souvent d'une lâcheté peu commune sur le champ de bataille : en 1479, à Guinegatte, ils pillèrent les charrettes au lieu de combattre! Supprimés en 1480 dans de nombreux lieux, ils furent rétablis par Charles VIII, puis par François 1er, et ils surent, sous ces deux rois, se montrer dignes de la légende laissée par leurs pères : tous les textes de la fin du XVe siècle et du début du XVIe abondent en plaintes du peuple à l'égard de ces pillards invétérés.

Pourtant, malgré les nombreux indices qui permettent de penser que ce genre de monologue connut une grande vogue, il ne nous reste que fort peu de textes. Les trois principaux ont été réunis dans une édition récente [5] : le *Franc-archer de Baignollet* qui remonte aux environs de 1480, le *Franc-archer de Cherré* et le *Pionnier de Seurdre,* écrits vraisemblablement à l'époque où les compagnies de francs-archers furent reconstituées, vers 1523-1524.

---

5. *Le Franc-archier de Baignollet,* édité par L. Polak, T.L.F., Droz, 1966.

Dans la mesure où ce type de personnage a été porté à la scène dans une intention satirique, les principaux traits de son caractère seront les défauts que lui reprochait le peuple. Non seulement nos francs-archers sont d'incorrigibles vantards qui ne tarissent pas sur les exploits militaires qu'ils ont accomplis et sur les honneurs dont ils ont été comblés, mais ce sont surtout des couards qui se bornent à diriger leur *furia* guerrière contre les basses-cours, caractéristiques qui déterminent pour ces monologues le choix d'une structure à deux temps, éminemment dramatique, puisqu'elle consiste à opposer aux vantardises de nos fantoches une action qui les dégonfle, et dans laquelle le fanfaron se montre sous son véritable jour. Les troix textes utilisent cette même structure de base à laquelle s'intègrent des ajouts dont l'importance va croissant de *Baignollet* (381 vers) à *Cherré* (552 vers) et à *Seurdre* (670 vers).

Dans l'ensemble, le premier temps de la structure de base présente une longueur d'environ deux cents vers et se déroule selon un rituel quasi immuable :

1. Présentation du personnage par lui-même. Elle consiste pour le fanfaron :

— à vanter son courage ou son ardeur guerrière — laquelle est toujours déclenchée par un bruit domestique qui incite au pillage;

— à appeler le combat de tous ses vœux en simulant la fureur guerrière et l'impatience;

— à provoquer l'assistance pour susciter des adversaires — mais ce courage et cette ardeur sont réduits à néant par une limitation ou une précision qu'ajoute le fanfaron et dont la brièveté suffit à tourner en ridicule les rodomontades qui ont précédé ou qui vont suivre : Baignollet ne craint page « s'il n'a point plus de quatorze ans »!

2. Récit des exploits passés du fanfaron qui cite les batailles historiques auxquelles il a pris part, décrit la mêlée et la manière dont il s'y est distingué, raconte comment il a tué ou fait prisonniers les chefs ennemis, et enfin fait revivre un combat singulier qu'il a dû livrer — et qui est burlesque dans la mesure où l'adversaire est un personnage insignifiant : Baignollet s'oppose à un colporteur, Cherré à un paysan et Seurdre à un vilain!

3. Exposé des honneurs que sa vaillance a valus au fanfaron : Baignollet reçoit les compliments et l'hommage des grands capitaines du moment; Cherré, en plus de ces honneurs, est pris familièrement sous le bras par le roi pour passer en revue les troupes qui s'agenouillent sur son passage, et Seurdre est même convié à la table de son royal suzerain.

Le second temps de la structure de base consiste à montrer le fanfaron en action, aux prises avec un ennemi inconsistant ou imaginaire. En effet, soit il y a effectivement un adversaire et le combat est joué (Baignollet s'oppose à un épouvantail, lequel remplit bien son rôle en épouvantant notre homme qui propose de trahir, implore grâce, rend ses armes, compose son épitaphe, se confesse pour finalement retrouver son ardeur combative dès qu'un souffle de vent fait choir à terre cet ennemi inanimé), soit l'adversaire n'existe que dans la pensée du fanfaron qui vit son combat imaginaire en le mimant — c'est ce que font Cherré qui met Bayard en déroute et Seurdre qui se venge du franc-taupin de Sainct Lambert qui s'était vanté de l'avoir battu.

Telle est cette structure en deux temps dont le second, celui de l'action, sert à contredire le premier, celui de la parole. Or, chose curieuse, non seulement cette structure d'ensemble se répète identique d'un texte à l'autre, mais, de plus, la démarche qu'elle implique semble conditionner le choix des procédés destinés à provoquer le rire dès le premier temps, celui de la peinture du personnage. Ces procédés visent en effet à « dégonfler » le fanfaron pour en montrer, derrière les bravades guerrières, le véritable caractère. Lors de la longue tirade de vantardises guerrières et de provocations qui sert au fantoche à se présenter, une courte précision rectificative permet d'apprécier son courage à sa juste valeur : « Je ne craignoye que les dangiers » laisse échapper Baignollet. Que cette précision soit donnée par le bravache lui-même, accentue la valeur satirique de sa peinture : il se montre par là incapable de garder jusqu'au bout le masque qu'il veut se donner; la vérité lui échappe et il se révèle comme un être chez lequel il y a conflit constant entre l'imagination et le sens du réel, entre l'être et le paraître. L'exposé des exploits du fanfaron se fait soit selon le même principe, soit par le biais de la transposition qui n'est guère qu'une forme particulière de la rectification. Cherré rapporte ses hauts faits avec une exagération telle qu'elle franchit les limites du vraisemblable et verse dans l'absurde :

> Je les vous hastoys quatre a quatre
> Dix a dix, douzaine a douzaine...
> ... Je les assomois comme bestes
> Les ungs fuyoient sans piedz, sans testes
> Tous joyeulx d'eschapper ainsi.

C'est déjà là une satire du vantard — caractère impossible des actions et inconscience de celui qui y croit ou veut y faire croire — mais, de plus, une double rectification inconsciente ramène ces rodomontades à leur juste valeur :

> Je les vous mys tres tous en fuyte
> Et moy apres — a la poursuite.

C'est avec la même naïveté que Baignollet, après s'être montré, par allusion, l'égal des héros épiques, Charlemagne ou Guillaume, rapporte la manière dont il s'est lancé à l'assaut et termine par :

> Car je cuidoye d'une poterne
> Que ce fust l'huys d'une taverne.

L'imaginaire est rectifié par un retour au réel dont il n'était qu'une transposition. Le fanfaron détruit donc lui-même l'effet de ses vantardises par son inaptitude à déguiser la vérité jusqu'au bout : c'est en cela qu'il se révèle être un fantoche. Les autres points du schéma de base subissent le même traitement, notamment celui de la « capture » des chefs ennemis : Baignollet commence par déclarer qu'il a fait prisonniers *cinq Angloys* mais, inconsciemment il poursuit son récit en rétablissant la vérité : l'un des « prisonniers » l'a pris à la gorge et il n'a dû la vie sauve qu'à la trahison, puisqu'il lui a fallu crier *« Sainct George! »* Le fanfaron commence en fait à raconter l'épisode comme il aurait voulu qu'il fût mais, incapable de poursuivre cet effort jusqu'au bout, il retombe dans le réel comme Seurdre qui, après avoir relaté sa capture d'un prévôt breton, déclare :

> Mais sans payer rançon ne pris
> Il m'eschappa car je fouy.

L'effet comique est obtenu par transfert de sujet et, dans le cas où le procédé est condensé en un seul vers, cet effet est d'autant plus fort que le vers conserve une logique interne qui s'oppose à celle que l'on attendrait habituellement — cette logique interne est d'ailleurs propre au personnage qui considère en victoires ses défaites. La satire du personnage est encore plus vive lorsque, avec cette naïveté qui le caractérise, il suit l'ordre inverse et donne la réalité avant de la transformer par son interprétation, comme Cherré lorsqu'il rapporte son combat contre Tresdoulles :

> Et luy dessus et moy a bas
> Et de charger : tic, toc, c'est fait
> Voila mon Tresdoulles deffaict.

ou tente de rattraper la vérité qui lui a échappé par mégarde pour s'enferrer davantage :

> Il s'enfuyt et moy devant
> Que dis-je? Devant? Mais après.

Ces pièces satiriques sont donc bien de véritables œuvres théâtrales car, non seulement elles supposent une part considérable de mime (le heurt entre Baignollet et son épouvantail est une action scénique habilement conduite et qui donnera naissance à des intrigues de farces, comme la *Farce des deux francs archiers qui vont à Naples*), mais surtout l'identification du récitant à son personnage est profonde, comme en témoigne la nature des prises à partie que l'acteur adresse à son public qui devient ainsi, à son insu, le second acteur du drame :

> Croyés moy et puis que j'en jure;
> Tenez, voyla qui en murmure,
> C'estoit mon, par bieu, je y estois
>
> *(Cherré)*
>
> Quoy! Vous ne m'en voulez pas croyre!
>
> *(Cherré)*

Enfin, et ce n'est pas là le moindre intérêt de ces pièces, les auteurs y font preuve d'une prise de conscience réelle des possibilités des procédés qu'ils emploient. Leur intention satirique les conduit, en fait, à créer un des premiers types comiques, celui auquel Corneille donnera ses lettres de noblesse avec le Matamore de l'*Illusion Comique.*

Les monologues d'amoureux

Le dernier des types à apparaître, et qui présente de nombreux points communs avec celui du soldat fanfaron, est celui de l'amoureux vantard. Il nous reste une dizaine environ de ces textes dont les plus célèbres restent ceux de Coquillart, écrits vers la fin du XVᵉ siècle, le *Monologue de la botte de foing* et le *Monologue du Puys* qui ont été imités, voire plagiés, par de nombreux émules.

D'une manière générale, toutes les pièces appartenant à cette série traitent le même thème et dans les mêmes conditions scéniques. En effet, tout en faisant participer le public à son jeu, l'acteur s'identifie au personnage d'un amoureux vantard et rapporte les mésaventures qui l'ont empêché de jouir de ses amours. La structure même de ces pièces est en rapport étroit avec le thème qui implique un déroulement linéaire. Aussi l'ordre de présentation adopté est-il, quasi invariablement, le suivant : dans un premier temps — de vingt à quarante vers en moyenne —, l'auteur essaie de susciter l'intérêt du public et sa participation, tout en précisant par la même occasion le thème du monologue; dans un second temps, il présente les personnages du drame : l'amant — qu'il va incarner —, la dame et parfois le mari. Après ces préliminaires, le récit des aventures de l'amoureux peut commencer. Il occupe, selon les cas, entre les trois quarts et les neuf dixièmes du monologue et se déroule selon une progression presque immuable. Nous assistons d'abord aux approches de l'amant, puis à la conquête amoureuse qui lui permet d'obtenir un rendez-vous pour le soir ou le lendemain; ensuite, c'est la longue attente de l'heure fixée, occupée par de multiples mésaventures qui n'empêchent d'ailleurs pas l'amant de se présenter, comme convenu, à la porte de sa dame de cœur. Mieux même, les circonstances semblent jouer en sa faveur et il se voit sur le point de mener à bonne fin son entreprise.

Malheureusement l'événement imprévu, matérialisé le plus souvent par le retour du mari, met un terme aux préparatifs amoureux et le pauvre galant se voit contraint de disparaître précipitamment dans une cachette inconfortable où il passera le reste de la nuit à méditer sur sa malchance, et d'où il ne ressortira qu'au matin pour regagner son logis, épuisé et insatisfait.

Nous avons là un schéma qui ne nous est pas inconnu, puisque de nombreux *fabliaux* le développent : *De la male feme, le Cuvier, Du chevalier à la robe vermeille, Du presbtre et de la dame, Constant Duhamel, le Flabel d'Aloul,* etc. Mais ces textes donnent la primauté à l'action et les caractères y sont le plus souvent inexistants; de plus, le récitant ne s'assimile à aucun des personnages, il garde à leur égard une certaine distance. Dans nos monologues, au contraire, l'acteur s'identifie au personnage de l'amant malchanceux et fait rire à ses dépens; par là il doue d'authenticité les mésaventures qu'il décrit, ce qui décuple leur pouvoir comique. L'action n'a donc de valeur que dans la mesure où elle est en rapport de convenance ou d'opposition avec le personnage qui la vit. De là la nécessité de douer le personnage, à l'inverse de ce qui se produisait dans le *fabliau,* d'un caractère propre, d'une psychologie véritable, qui justifie la déclamation à la première personne.

Caricature des jeunes *gallans* du temps, fils de grands bourgeois qui singent la noblesse et dont Coquillart se moque dans ses *Droits nouveaulx,* notre amoureux est un vantard qui, sans aucun complexe, se décerne la palme en toutes choses et se révèle ainsi un véritable franc-archer des lices amoureuses. Il se trouve beau physiquement et pense savoir mettre sa beauté en valeur en s'habillant avec recherche, toujours à la pointe de la mode. Et même lorsque la triste réalité lui échappe (« Les chausses percées aux genoulx / Pour bien dire ; mais ce n'est rien! », *Botte de foing*), il sait la déguiser en s'imaginant un train de vie — équipage et laquais — que ne désavoueraient pas les seigneurs de la Cour. De plus, sa belle apparence vestimentaire trouve son répondant dans les qualités morales et intellectuelles dont il fait preuve : intelligent, spirituel, sachant briller en société, il est chéri des dames et ne compte plus ses conquêtes (« J'en sçay cinq ou six / Ou je suis toujours bien venu », *la Gouttière* [6]). Comment dans ces conditions ne pas être satisfait de son sort jusqu'à la plus complète fatuité et comment résister à l'envie de se moquer de ses concurrents malchanceux et de ces maris auxquels il fait porter des cornes !

Or ce vantard notoire va être confronté à des aventures qui infirment le portrait avantageux qu'il a fait de lui, selon une esthétique de contradiction permanente qui oppose l'acte à la parole, comme dans les monologues de soldats fanfarons [7]. En effet, après s'être décrit avec suffisance et après avoir rapporté la manière dont il a obtenu sans peine de sa dame de cœur un rendez-vous galant pour le soir, notre vantard doit confesser les mésaventures qu'il a essuyées pendant sa longue attente de l'heure fixée. Celles-ci d'ailleurs n'entament pas sa sérénité, et n'ont d'autre résultat que de détruire la belle ordonnance de sa tenue. Dans tous les cas, en effet, l'amoureux passe par une aventure qui le contraint à une fuite (par couardise ou par honte) au cours de laquelle ses beaux vêtements sont souillés ou déchirés. L'amoureux du *Baing* [8], par exemple, subit la totalité des avatars imaginés dans les autres monologues : invité à un banquet, sa méconnaissance de la danse l'amène à trébucher, à perdre sa chaussure, à se couvrir de honte et à fuir dehors, dans la boue où il se souille; de plus, sur le chemin du rendez-vous, il reçoit un « pot à pisser » sur la tête, est surpris par le guet et abandonné par son laquais ! Ainsi, c'est en piteux état, souillé, ayant perdu une partie de ses vêtements, son bel équipage dispersé et après avoir fait montre de sa lâcheté, qu'il se présente devant sa dame ! Mais notre homme est passé à travers cette série d'épreuves avec un détachement digne d'éloges et dont le contraste avec la haute opinion qu'il a de lui-même est un puissant moteur comique.

Peu de temps avant l'heure convenue, notre amant se

---

6. B. N., Ms fr. 25 428.
7. On peut d'ailleurs se demander dans quelle mesure le portrait du personnage n'est pas conçu pour permettre une utilisation originale de mésaventures empruntées à la tradition afin de les revivifier.
8. B. N., Ms fr. 25 428.

dirige donc vers l'*huys* de sa belle. Le jeu du récitant est alors d'imaginer des circonstances telles que l'amant ne puisse immédiatement satisfaire ses désirs : ou le trouble-fête (le mari, le père ou le maître) est déjà dans les lieux, ou la dame est seule. Mais, dans ce cas, cette dernière semble s'être ravisée et elle oppose un premier refus de principe; ce qu'elle désire d'abord, c'est bavarder, être conquise par le subtil esprit de son soupirant. Malgré son impatience, notre amoureux doit en passer par là, et témoigner d'une bien pauvre imagination, fort éloignée des qualités qu'il se prêtait complaisamment. Néanmoins il surmonte la difficulté et semble sur le point de jouir de ses amours car la forteresse n'oppose plus de résistance :

> Quant nous fusmes tous deux couchés
> L'ung près de l'autre aprochés...
>
> *(Monologue du Puys)*

C'est alors que se produit le coup de théâtre, retour imprévu du mari qui déclenche un moment de panique : « Qu'est-il de faire? Je suis mort! » *(le Puys).* Devant les faits, le pauvre amant est désemparé et c'est sa maîtresse qui doit avoir la présence d'esprit de trouver une cachette où le pousser. Tous les récits ont recours à ce thème de l'amant contraint de disparaître dans une cachette inconfortable, déjà abondamment illustré dans les *fabliaux :* l'amant peut être simplement dissimulé derrière la porte, ou bien il se voit indiquer une écurie, un poulailler, un grenier à foin ou, en désespoir de cause, un puits. Souvent, le comique de la cachette est rehaussé par le fait que l'amant se trompe : l'amant du *Baing* prend, dans l'obscurité, une baignoire pour la cachette désignée par sa maîtresse; on devine la suite! L'entrée dans la cachette marque pour l'amant, déjà touché avant le rendez-vous dans sa tenue ou son moral, le début d'une longue période de souffrances physiques : l'amant de la *Botte de foing,* qui s'était caché dans le grenier sous une botte, a l'oreille lardée d'un coup de fourche par le valet qui vient chercher du foin pour les bêtes. Dans la plupart des cas, condamné à une immobilité absolue par la crainte d'être découvert, il est transi, gelé, transformé en objet incapable de penser. Ainsi, par cette dégradation progressive en deux temps — vestimentaire, puis morale et physique —, devient-il vers la fin de ses aventures, une véritable loque, un pantin dégonflé qui prend la tardive résolution de ne plus rechercher l'amour des belles.

Compte tenu de la prédominance du récit, on pourrait penser que ces monologues restent proches du genre narratif. Pourtant, en dehors du fait que le personnage rapporte ces aventures traditionnelles comme étant les siennes propres, ce qui tend à les dramatiser — d'autant plus qu'il prend le public à partie —, on s'aperçoit vite que les auteurs ont tenté par de multiples procédés, tant au niveau du détail qu'à celui de la construction d'ensemble, d'accentuer l'aspect dramatique de ces pièces. C'est ainsi, par exemple, que dans la première partie du *Monologue de la botte de foing* Coquillart fragmente le récit pour y incorporer des portraits brillants et répétés que l'amant brosse de lui-même : dans la mesure où les éléments du récit vont dans le sens d'une dépréciation progressive du personnage de l'amoureux et où les portraits restent toujours identiques à eux-mêmes, une progression dramatique et comique à la fois [9] se crée, fondée sur une amplitude constante de l'opposition entre le récit — actes du personnage — et le ton des portraits — opinion que le personnage a de lui-même — qui tend à accentuer le caractère de fantoche de l'amoureux et qui fait de lui un nouveau type de théâtre au même titre que l'homme à tout faire ou le soldat fanfaron. Il suffira d'ajouter à ces monologues un second rôle de questionneur ou de contradicteur pour les transformer en dialogues scéniques : c'est ce qui se produit avec le *Dyalogue de Beaucop Veoir et Joyeulx Soudain* [10].

Parodie littéraire et théâtre de tradition

Dès le milieu du XIIIe siècle, dans tous les lieux où elle avait réussi à s'imposer et à participer à la direction des affaires communales, la bourgeoisie avait ressenti le besoin d'une lit-

---

9. On a là un équivalent dramatique des rectifications du soldat fanfaron.
10. E. Droz, *le Recueil Trepperel*, t. II, *les Farces*, Droz, 1961, p. 13.

térature qui lui soit propre et qui achève ainsi de concrétiser son ascension sociale. Cette littérature, qui était un acte politique, allait immédiatement se définir en s'opposant à la littérature aristocratique et chevaleresque qui l'avait précédée. C'est ainsi que naquit le genre de la *sotte-chanson* qui, d'après A. Langfors *(Deux recueils de sottes-chansons,* Annales Academiae Scientiarum Fennicae, Helsinki, 1945), « est avant tout une parodie, la parodie d'un modèle précis et immédiatement reconnaissable à tout le monde, puisqu'elle est faite sur le patron de la chanson d'amour qui est la chanson courtoise par excellence, le *grant chant* selon le rubricateur du manuscrit d'Oxford ». Cette parodie porte non seulement sur le cadre de l'action, mais encore sur l'action même, sur le vocabulaire et les idées, les gestes et les paroles, le caractère et les sentiments des principaux personnages qui s'y meuvent.

Dans les siècles suivants, le rôle grandissant de la classe bourgeoise devait favoriser l'extension d'une telle littérature et des poètes célèbres comme Froissart ou E. Deschamps sacrifièrent à la mode. Chaque genre poétique fut parodié : c'est ainsi, par exemple, que des *sottes-amoureuses* apparurent, calque parodique des *amoureuses,* poèmes dont la forme était celle d'un *chant royal* sans refrain et dont l'amour était le sujet. « C'est ce genre de poésie qu'on avait coutume de produire à Amiens le jour de l'an et [...] toutes les années il y avait là un prince de ces *sottes-amoureuses.* » On peut aussi penser que ce sont les *sottes-chansons* qui ont servi de modèles à des *jeux-partis* parodiques que l'on prit l'habitude de déclamer dans les *puys* (n° CLXXIV et CLXXV du *Recueil général des jeux-partis*) : elles étaient « à la poésie courtoise ce qu'est un fabliau vulgaire à un *lai* ou à un *dit* d'une haute tenue littéraire ».

Aussi, ne peut-on s'étonner de voir apparaître de bonne heure des parodies d'épopées. Ce sont d'abord des fabliaux comme *la Bataille de Caresme et de Charnaige* (éd. par G. Lozinski, Bibliothèque de l'École des Hautes Études, Paris, 1933) dont le thème implique qu'ils ont été déclamés à l'occasion de ces réjouissances collectives qui permettaient au peuple de donner libre cours à ses instincts avant d'aborder la longue période d'abstinence alimentaire et sexuelle du Carême [11]. Dans ce texte, après une présentation des deux principaux personnages, Charnage le baron et Quaresme le félon, l'auteur situe l'action à la cour du roi Louis (on ne peut s'empêcher de penser au *cycle de Guillaume d'Orange*) : les habitants du Beauvaisis, de l'Orléanais et de l'Ile-de-France sont sous la domination de Quaresme, à la grande colère de Charnage qui ordonne sans succès à son rival de fuir la région. Après une dispute et un échange de menaces, les deux grands barons envoient leurs messagers respectifs le *harenc* et l'*esmereillon* convoquer le ban. Puis, les deux armées rassemblées, les deux barons s'arment :

> Quaresme lace sa ventaille
> Qui n'est ne de fer ne d'acier
> Ainz est de roche de vivier.
> Son hauberc fu d'un fres saumon,
> De lamproie son auqueton...

et Charnage

> Elme ot el chief luisant et cler
> D'une grant teste de sengler
> Et ot un paon sor son hiaume...

Ainsi armés, Quaresme et Charnage s'affrontent en un combat singulier qui parodie ceux des chansons de geste, comme celui de Guillaume contre Guy l'Alemand dans *le Couronnement de Louis,* et se termine par la victoire du second. Mais, cela n'empêche pas une mêlée générale (« la bataille fu moult espesse, dure et orible et felonesse »), succession de coups d'épées épiques et burlesques :

> A tant ez vos entre deus rens
> Un fres saumon esperonant;
> Fiert un haste de maintenant
> Si qu'il l'a par mileu navré...

Cette première mêlée, que le jongleur décrit sur plus de cent vers, ne s'interrompt qu'à la nuit. Le lendemain matin,

11. Ou lors des fêtes de Noël, après l'Avent (trente jours de jeûne ordonnés par le Concile de Tours et réduits à quatorze par le Concile de Mâcon).

les combattants s'arment à nouveau et reprennent la bataille; mais Charnage reçoit le renfort inattendu du *bacheler Noël* et de son armée. Sur les conseils de ses barons, Balaine, Esturjon et Bresme, Quaresme demande alors la paix. Charnage réunit son conseil et Noël prend la parole pour décider de la sentence : Quaresme est chassé du pays, excepté pendant une période de *sis semaines et trois jors* par an.

Très vite, cette bataille de Quaresme contre Charnage, illustrée par de nombreuses peintures dont la plus connue est celle de P. Bruegel, va devenir le thème privilégié de nombreux jeux dramatiques, exécutés vraisemblablement sur la place publique le jour du Mardi gras, comme *la Dure et cruelle bataille et paix du glorieulx Sainct Pensard à l'encontre de Caresme composée par le prince de la Bazoche* et jouée à Tours en 1485, ou *le Testament du Carmentrant* écrit par Jehan d'Abundance vers 1540. Car ces allégories joyeuses n'étaient pas pour dérouter un public que le théâtre didactique, et plus particulièrement les *moralités,* avait habitué à une telle représentation de l'univers mental [12].

La première de ces deux pièces met en scène 33 personnages répartis symétriquement en deux camps. Le premier camp est celui de *Charnau,* assisté de deux proviseurs, *Tiency* et *Bassa,* et de trois conseillers, *Maubué, Leschebroche* et *Tirelardon;* il est soutenu par une puissante armée — commandée par *Chose* et *Commentenon,* et composée du *patissier,* du *coquetier,* de l'*escorcheur,* du *rotisseur,* du *trippier* et du *boucher* — et représenté par son messager *Appétit-friand* et son ambassadeur *Maitre Accipe,* suivi par un valet *Rien-ne-vault.* Au camp de *Charnau* s'oppose celui de *Caresme,* que servent deux capitaines *Briquet* et *Marquet* et leur troupe de quatre larrons, *Panceapoix, Vuydeboyau, Maisgredoz, Lasdejeuner,* et qui est assisté du messager *Humebrouet* et de l'ambassadeur *Maistre Aliboron.* D'autre part, si le dieu *Bacus* et ses trois suppôts *Architriclin, Noé* et *Lot* soutiennent *Charnau, Caresme,* lui, peut compter

---

12. D'ailleurs, ces jeux étaient peut-être aussi sentis confusément comme un moyen de faire éclater, par le rabaissement carnavalesque, les cadres trop rigides de l'enseignement moral des masses.

sur les services de trois « escuyer de cuysine », *Macquaire, Ordelot* et *Grosmolu.*

Le premier « acte » de la pièce, qui se compose de deux scènes symétriques et vraisemblablement jouées simultanément, présente la convocation du ban dans les deux camps. Les capitaines *Chose* et *Commentenon,* convoqués par *Appétit-friand,* rejoignent avec leur troupe leur suzerain *Charnau* qui, après leur avoir annoncé son intention de combattre le *puant huillier Caresme,* les invite à réchauffer leur ardeur en usant largement de la *perchée de barilz plains de vin* envoyée par son cousin *Bacus.* Parallèlement, *Briquet* et *Marquet* qui ne peuvent se dispenser de répondre à l'ordre de convocation que leur a signifié *Humebrouet,* se rendent aussi auprès de leur maître *Caresme,* mais leur couardise et le ventre creux de leurs hommes, que ne remplit guère la soupe — et les fèves — envoyée par *Macaire,* les incitent à prier leur suzerain de régler le conflit par son ambassadeur.

Le second « acte » est consacré à la préparation du conflit : pendant que *Caresme* envoie chercher *Maistre Aliboron, Charnau* convoque *Tiency* et *Bassa* qui acceptent d'approvisionner l'armée en armes et subsistances — *beuf, lart, mouton, pourceau, andouilles et trippes, oiseaux de rivière.* Rassuré, *Charnau* peut alors ordonner l'assaut au moment où, dans l'autre camp, *Aliboron* promet à *Caresme* de négocier la paix avec son rival. Mais les troupes de *Charnau* sont déjà en route, leur fureur guerrière poussée à son paroxysme par une nouvelle *perchée de barilz* envoyée par *Bacus.*

Le troisième « acte » débute sur une brève bataille qui se solde par la déroute de l'armée de *Caresme* et se termine par le retrait des vainqueurs dans leur camp. Et, pendant que les soldats de *Caresme* se plaignent des coups reçus :

> Chose m'a flacqué ung tas d'œufz
> Tous couvéz dessus les paupieres
> Que je n'ose entreouvrir les yeulx
> Non pas remuer les ballievres,

les troupes de *Charnau* fêtent dignement la victoire en levant une nouvelle fois les barils de *Bacus.* De son côté, *Macaire* essaie vainement de réconforter les vaincus en leur envoyant de bons *naveaulx au brouet.*

L'« acte » suivant met en scène la discussion de l'armistice. *Aliboron* arrive enfin devant *Charnau* pour lui proposer la paix. Ce dernier convoque son conseil et fait chercher *Maistre Accippe* — qui arrive sur sa mule — auquel il fait part des conditions qu'il veut exiger pour accorder la paix aux vaincus. La discussion est orageuse mais, finalement, *Aliboron* et *Accippe* se retirent pour rédiger un accord en commun. Pendant ce temps, *Caresme,* inquiet de ne pas voir revenir son ambassadeur, envoie son messager porter au vainqueur un *plat de naveaulx* en signe d'hommage.

Dans le cinquième et dernier « acte », *Charnau,* qui a été touché par la délicate attention de son adversaire, s'est radouci et semble prêt à accepter la paix. *Aliboron* et *Accippe* reviennent alors avec la charte qu'ils ont rédigée et *Charnau* en fait la lecture à haute voix devant les deux camps réunis. C'est un véritable *mandement* burlesque, parodie d'un édit royal, qui accorde une trêve à *Caresme,* mais le bannit *jusque a ung an.* Et la pièce se termine sur l'invitation à se réjouir lancée par *Charnau* qui ajoute :

D'aujourd'huy en quarante jours
Je viendray en mon hault estat
Et mettray Caresme a rebours.

Tel se présente ce jeu qui était sans doute traditionnel lors des festivités qui marquaient le Mardi gras, théâtre en liberté qui légalise le règne éphémère des instincts en utilisant toutes les images, métaphores et formules du langage quotidien le plus crû — et qui suppose un type de mise en scène des plus modernes. La parodie du genre épique y est certes moins nette que dans le fabliau, mais elle reste sous-jacente au thème et sert de fil directeur à l'intrigue, même si le verbe cède la place à l'acte — car, les annotations scéniques le marquent, les scènes de beuverie étaient nombreuses et réelles, ainsi que, vraisemblablement, la bataille à coups de victuailles, puissant moyen de susciter l'euphorie collective — et même si la pièce est prétexte à utiliser ces morceaux traditionnels de la fête populaire que sont les *mandements* et *testaments* burlesques.

Du « jeu » populaire aux pièces complexes

Le passage du jeu dramatique populaire au théâtre, qui se traduit par une réduction du lieu scénique à la seule scène, allait s'opérer grâce à une forme nouvelle, le *dialogue,* qui, d'abord simple mode de rénovation des *monologues* dont la vogue baissait, allait rapidement devenir un véritable genre par lequel s'est sans doute effectuée la transition des pièces à une voix aux pièces complexes que sont les *farces* et les *sotties.*

Les procédés destinés à rénover les monologues par une présentation dialoguée se sont d'abord appliqués au niveau de la structure d'ensemble. Le premier et le plus simple consistait à fractionner le monologue initial et à répartir les fragments obtenus entre deux ou plusieurs acteurs, mais, plutôt qu'à un véritable dialogue d'échanges, on aboutissait ainsi à un duo assez factice. Et les auteurs s'en sont bien aperçus puisque, très vite, ils ont cherché un moyen qui permît de justifier ce fractionnement simple en lui conférant une valeur fonctionnelle : le faire servir d'intrigue. Or ce moyen existait dans la vie réelle : il consistait à introduire, entre les fragments du monologue initial, les répliques d'un second personnage chargé d'interrompre le récitant par des protestations ou de lui faire accélérer ou détailler son récit par des questions. C'était là matérialiser, sous la forme d'un rôle secondaire, les réactions d'un public mécontent ou intéressé, en quelque sorte faire monter le public sur la scène. Tel est le procédé qui sous-tend le *Sermon de bien boire du Prescheur et du Cuysinier* et le *Dyalogue de Beaucop Veoir et Joyeulx Soudain.* Mais, si l'introduction d'un interrupteur permet de créer un conflit qui donne une vie nouvelle au monologue en l'intégrant à une pseudo-intrigue, il n'en est pas de même avec le type du questionneur dont le rôle, factice, ne réussit pas à déguiser en véritable dialogue un échange qui se fait encore entre la salle et l'acteur. Parfois, cependant, les auteurs parviennent à parer à cette déficience en opérant la synthèse des deux procédés, comme dans la *Sottie de Me Pierre Doribus* [13].

---

13. E. Droz : *le Recueil Trepperel,* t. I, *les Sotties,* Paris, Droz, 1935, 235 sqq.

Mais la technique de fractionnement allait être améliorée grâce à des procédés qui existaient en puissance dans les monologues de soldats fanfarons. Il suffisait de rassembler en un rôle d'opposant les éléments qui, dans ces monologues, opéraient le dégonflement du fantoche : ainsi le fractionnement du monologue initial se justifiait-il par une contradiction terme à terme qui donnait au second rôle, rôle technique, une importance accrue. Tel est le mode d'élaboration de la *Sottie du Gaudisseur et du Sot* [14]. Pourtant nous n'assistons guère ici qu'à une sorte de duo adressé au public. Pour aboutir à un véritable dialogue, il ne suffisait pas de donner plus d'importance au rôle du second personnage, encore fallait-il douer ce dernier d'une consistance égale à celle du protagoniste, c'est-à-dire approfondir sa psychologie. Très vite, les auteurs vont donc mettre face à face un vieil amoureux et un jeune homme qui opposent leur conception personnelle de l'amour. Mais la pièce la plus réussie est sans conteste *la Farce du Gentilhomme et son page* [15]. Ici, l'opposant n'est plus un sot anonyme, mais un page qui, lassé de ne pas toucher ses gages, veut abandonner son vantard de maître dont il révèle la vraie nature. L'opposant est devenu personnage à part entière et si, dans cette pièce, on ne renonce pas pour autant à s'adresser au public, il y a fréquemment un véritable dialogue d'échanges dont le déroulement, fondé sur la psychologie des types en présence, tient lieu d'intrigue. L'amélioration d'un procédé technique d'un genre conduit ici à la création d'un nouveau type comique : le valet de comédie.

La nécessité dans laquelle les auteurs se trouvaient de donner une consistance psychologique égale aux deux antagonistes pour obtenir un véritable dialogue d'échanges, a pu leur donner l'idée de passer du monologue au dialogue par redoublement du monologue initial. Ils se contentent alors de fractionner chacun des deux monologues obtenus et d'imbriquer les fragments. Ce heurt de deux types identiques, dont l'idée était en germe dans le *Dit des deux bordeors*

14. E. Droz, *recueil cité*, p. 6.
15. *Recueil La Vallière*, t. I, pièce 10.

ribauz, est réalisé avec *la Farce des deux francs archiers qui vont à Naples* dans laquelle deux fanfarons vantent, chacun sans voir l'autre, leur propre vaillance, puis se rencontrent, s'effraient mutuellement et s'enfuient. Il suffira, ici comme dans la plupart des cas précités, d'appliquer le principe de la réduplication pour que le schéma s'étoffe en une farce comme celle de *l'Aventureulx et Guermouset.* Mais là encore une prise de conscience des insuffisances du procédé devait en provoquer l'amélioration : on s'oriente en effet vers une opposition de deux types semblables mais légèrement différents, comme dans *la Farce du pardonneur, du triacleur et de la tavernière.* Ainsi est justifié de manière plus réaliste le conflit qui tient lieu d'intrigue, et sa résolution n'est plus prévisible. Il restait cependant à affiner, à ciseler cette technique des échanges, pour donner au dialogue un éclat et une vivacité qui le fassent vivre par lui-même. C'est ce à quoi vont s'employer les auteurs en mettant au point le *staccato-style* — pour reprendre une formule de Ian Maxwell — dont une étude tant soit peu attentive permet de constater qu'il n'est jamais qu'une application au niveau du détail, au niveau du vers, des procédés de fractionnement ou de redoublement qui avaient permis le passage du monologue au dialogue. Une telle technique non seulement rendait possible la déclamation d'un même texte par un, deux ou trois acteurs, mais elle conférait, de plus, au dialogue un caractère affectif plus marqué. C'est à cette technique que l'on doit le chef-d'œuvre du genre, le *Dialogue de Messieurs de Mallepaye et de Baillevent* (*le Théâtre français avant la Renaissance,* éd. Fournier, p. 113 sqq.). La naissance des types dans le monologue et la mise au point de la technique des échanges dans le dialogue permettaient donc de passer aux pièces complexes, soit à la *farce* en donnant plus d'importance à l'intrigue, soit à la *sottie* en accordant la primauté au dialogue.

4

Vers un théâtre organisé : farces et sotties

Peu à peu, le théâtre populaire, né spontanément sur la place publique dans l'ambiance de la fête carnavalesque, avait donc pris conscience de l'existence et de la spécificité d'un art dramatique et s'était attaché à essayer d'en dégager les techniques propres. Après avoir créé des types individuels répondant à une esthétique de jeu dramatique fondée sur la participation de l'auditoire, il avait tenté, en passant du monologue au dialogue, de restreindre le lieu scénique à la seule scène, découvrant du même coup, pour les résoudre l'une après l'autre, les difficultés du jeu autonome. Il pouvait donc, après cette période préparatoire, et bénéficiant de l'expérience acquise dans le jeu collectif de carnaval, se tourner vers l'élaboration de pièces complexes, essayant ainsi de rejoindre, pour s'y intégrer et s'améliorer à leur contact, les milieux cultivés déjà initiés à l'art dramatique, celui des écoliers et celui des clercs de la Basoche. Cette osmose des différents courants du théâtre profane comique semble s'être effectuée dès la seconde moitié du XVe siècle et elle sera la source, pendant un bon siècle, d'une abondante production dont il nous reste environ deux cents pièces, des *farces* pour les deux tiers et des *sotties* pour le tiers restant.

Le premier problème qui se pose devant cette abondante production est celui qui a longtemps divisé, et divise toujours, la critique : la *farce* et la *sottie* peuvent-elles être ou non considérées comme des genres distincts?

L'un des premiers exégètes de notre ancien théâtre, Petit de Julleville qui, dans son livre sur *les Comédiens en*

France au Moyen Age (1885), admet une distinction de nature entre la farce et la sottie (en écrivant que la seconde développe une « conception fondamentale » identique à celle de la *Fête des Fous* — parodie universelle et bouleversement de la hiérarchie établie — alors que la première se contente de copier la réalité « en l'exagérant pour la rendre plus sensible »), se refuse à voir en elles deux genres différents et déclare dans *la Comédie et les mœurs en France au Moyen Age* (1886) que la sottie n'est jamais qu'une farce *jouée par des sots.* Eugène Lintilhac lui emboîte le pas ainsi d'ailleurs qu'Emile Picot qui, bien qu'il tente implicitement d'opérer une distinction en regroupant les sotties dans un recueil [1], se garde d'être trop catégorique et se borne à ajouter aux critères distinctifs que sont le titre et la nature des personnages celui du dialogue qui, selon lui, présente toujours dans la sottie « des traces de la fatrasie ». Quelques années plus tard, B. Swain, qui analyse les pièces réunies par E. Picot [2] et voit en elles le mode d'expression des *sociétés joyeuses* issues de la *Fête des Fous,* déclare, tout en leur reconnaissant un caractère satirique plus marqué que les farces, que « les pièces des sociétés joyeuses étaient appelées, sans aucune distinction de genre, farces, moralités ou sotties ». C'est vraisemblablement cette remarque, jointe aux affirmations de G. Cohen [3], qui conduit la savante éditrice du *Recueil Trepperel,* Mlle E. Droz, à s'opposer catégoriquement à toute distinction de genre, distinction qui, selon elle, « n'existait pas dans les textes ». Pour elle, « un même texte pouvait, au gré des acteurs, être farce ou sottie [...], la différence essentielle résidait vraisemblablement dans le style du jeu et de l'interprétation ».

Pourtant, peu de temps après, H. G. Harvey, dans *The Theatre of the Basoche* (1941), essaie de montrer que les sotties sont des pièces à usage interne, principalement jouées par les basochiens et pour eux-mêmes, ce qui revient à plaider en faveur de la spécificité du genre et de son

---

1. E. Picot : *Recueil Général des Sotties,* Paris, Didot, 1902, 3 vol.
2. B. Swain : *Fools and Folly during the Middleages and the Renaissance,* New York, 1932.
3. G. Cohen : *le Théâtre en France au Moyen Age,* Paris, 1931, t. II.

indépendance vis-à-vis de la farce. Malheureusement, tel n'était pas le but de H. G. Harvey qui ne prend pas position sur le problème de la distinction des genres [4]. Le premier à prendre nettement parti en faveur d'une distinction de genre entre farce et sottie est sans conteste Ian Maxwell qui écrit dans *French farce and John Heywood* (1946) : « However confused the frontier, farce and sottie form separate Kingdoms ». Et, à l'appui de son affirmation, il met en lumière un certain nombre de critères d'opposition qu'après Lambert C. Porter [5], Barbara C. Bowen reprendra et développera dans son ouvrage sur *les Caractéristiques essentielles de la farce française et leur survivance dans les années 1550-1620* (1964) :

> Les personnages de la farce sont ancrés dans la réalité; ils ont une femme, des enfants, un foyer, un métier, et, symbole de tout cela, un nom. Ils sont peu nombreux — peu de farces dépassent six acteurs, et la plupart en ont deux, trois ou quatre. Les personnages des sotties sont souvent nombreux et désignés par des numéros — « le Premier Sot », « le Second », etc. Le lieu de l'action est symbolique ou vague, puisque les sotties ne sont aucunement une simple « tranche de vie ». Leur langage est plus stylisé que celui des farces et leur contenu est ou simplement fantastique, ou amèrement satirique [...]. Le ton de la satire est autre dans les farces — au lieu de se moquer férocement de quelqu'un ou de quelque chose, le Pape, la corruption de l'Église, l'auteur de farces traite toute l'humanité avec un humour légèrement satirique, mais surtout tolérant. La dernière grande différence est dans l'action. L'action d'une sottie est allégorique ou satirique [...]. Dans une farce, l'action conduit à un dénouement...

En fait, et nous pensons l'avoir montré dans notre étude sur *le Monologue, le Dialogue et la Sottie; essai sur quelques*

4. En fait, tous les critiques, jusqu'à H. G. Harvey, semblent avoir été gênés par la diversité de la sottie (que signalait d'ailleurs Mlle Droz) que trop souvent ils ont voulu réduire à un seul de ses aspects (cf. chap. 6) : *sottie-parade* pour Mlle Droz (de là son assimilation sottie-farce); *sottie-séance de tribunal* pour H. G. Harvey; *sottie-parade* et *sottie-action* pour G. Cohen (qui fait de la sottie tantôt une farce, tantôt une moralité d'allure politique).
5. *La Farce et la Sottie,* Z.R.P., LXXX, 1959, p. 89-123.

genres dramatiques de la fin du Moyen Age et du début du XVIe siècle [6], l'opposition entre farce et sottie est encore plus fondamentale : si la farce est un simple divertissement qui s'adresse aux sens et vise surtout au comique immédiat, franc et bonhomme, la sottie, elle, est un théâtre de combat destiné à l'esprit, qui cherche à provoquer, par un rire grinçant, une prise de conscience conduisant à l'engagement politique.

D'ailleurs, au premier chef, leurs thèmes respectifs le prouvent. Des cent trente-six pièces qu'elle catalogue comme farces, B. C. Bowen constate que presque la moitié — soixante et une — sont des farces conjugales dont l'action se situe à l'intérieur de la maison : disputes entre mari et femme, auxquelles participe souvent l'entourage, pour obtenir la domination du ménage; aventures rocambolesques qui mettent aux prises les membres du trio vaudevillesque mari-femme-amant, et dont le héros est presque toujours la femme qui, par sa ruse, parvient à tromper un mari trop vieux ou naïf et à protéger la fuite d'un amant — un moine le plus souvent — poltron. Quand elle n'illustre pas la ruse féminine, c'est à la sottise sous toutes ses formes que s'en prend la farce : benêts qu'on envoie aux écoles et dont la stupidité naïve est révélée par leur incompréhension du langage courant qui les conduit à répondre aux examinateurs par des équivoques aussi involontaires que spontanées; valets qui, confondant l'esprit et la lettre, obéissent aux ordres de leurs maîtres d'une manière qui défie le simple bon sens, comme Jeninot qui, pour « mener » sa maîtresse à la messe, lui saute sur le dos en expliquant qu'il avait coutume d'agir ainsi lorsque son précédent maître lui ordonnait de « mener » la jument paître! Pourtant, ce *badin* n'est parfois qu'un faux benêt qui, lorsqu'il s'intègre aux aventures du trio vaudevillesque, sait souvent tirer son épingle du jeu à son avantage. Lorsqu'abandonnant le lieu clos du domicile conjugal ou de l'école la farce met en scène des tableaux de la vie sociale qui se déroulent sur la place du marché, dans les boutiques ou à la taverne, elle oscille

---

6. Thèse Lettres, Paris IV, 1972.

encore entre ces deux pôles du rire que sont la ruse et la sottise, qu'elle rénove constamment par de nouvelles illustrations du thème du trompeur trompé. C'est donc toute la vie quotidienne, dans et hors la maison, que nous peint la farce, en empruntant parfois aux fabliaux — avec leur goût de l'obscène et du scatologique — ou en copiant tout bonnement le réel trivial avec ses types déjà stylisés par le monologue.

Dans la sottie, rien de tout cela : quand elle n'est pas l'exposé d'un simple cahier de doléances déguisé dans le déroulement d'un dialogue figuratif d'une folie feinte, la sottie se veut explicitement « contestataire »; elle vise à faire passer le régime et la société entière au tribunal de ses sots ou à montrer, dans une action symbolique, comment dans le chaos présent la folie mène les différentes classes sociales à leur perte.

Cette différence dans l'angle d'appréhension de leur objet se manifeste au premier abord dans ces deux genres — ainsi que l'ont vu certains critiques — par la nature des personnages qu'ils portent à la scène. Comme le laissent présager ses thèmes, la farce nous présente des personnages « ancrés dans le réel ». Ce sont tout d'abord — compte tenu de l'importance relative des thèmes — les membres de la cellule familiale et ceux de son entourage immédiat qui envahissent la scène : maris trompés, contents ou battus mais toujours résignés, femmes rusées, jouisseuses et querelleuses, amoureux imaginatifs mais souvent couards, valets benêts ou habiles au profit, voisins et commères toujours prêts à rendre un service intéressé au plus fort, enfants balourds et parents subjugués par leur progéniture. Mais d'autres types de la vie sociale apparaissent et entrent dans le cercle de famille : religieux plus portés sur la chair (et la chère) qu'au respect de leurs vœux, médecins qui ne sont que des charlatans, doctes ecclésiastiques plus niais et pédants que capables de bon sens. Ce sont là, d'ailleurs, des types plus que des caractères. Et ce ne sont pas les seuls, car toutes les professions qui jouent un rôle dans la vie de tous les jours sont aussi représentées : magistrats ignorants, avocats véreux, gens de guerre couards et vantards, marchands divers, tous plus cupides et voleurs les uns que les autres. A ce monde grouillant se joint la cohorte des petits métiers : outre les taverniers, assimilables aux marchands, les nombreux meuniers, les bergers et les bûcherons, Barbara C. Bowen a relevé, dans son corpus, un pâtissier, un lanternier, un serrurier, un peintre, un ramoneur, deux couturiers, trois chaudronniers et treize savetiers [7]. En fait, dans la farce, c'est la société, la foule urbaine qui se donne en spectacle à elle-même.

Dans la sottie, il en va tout autrement : ses personnages sont des types de convention pris hors du réel et dont le rôle est d'illustrer des oppositions sociales ou politiques. De ce fait, ils peuvent aisément se répartir entre trois grands groupes qui représentent les forces en présence : l'élément contestataire, l'élément mis en cause et l'élément figurant la cause du mal et de l'opposition. Le groupe contestataire, qui a donné son nom au genre, est composé de *sots* qui, plus que des types, symbolisent une fonction : la fonction critique que l'élément jeune de la bourgeoisie moyenne tend à s'arroger comme un droit, annonçant ainsi l'évolution des rapports hiérarchiques dans une société à laquelle le développement économique tend à ouvrir les yeux sur la notion de liberté individuelle. Le sot est un censeur public; il n'est pas un type individualisé : de là vient qu'il lui suffit d'être désigné par un appellatif générique, par un numéro. Lorsqu'il se voit attribuer un nom propre, ce nom même ne l'individualise pas, dans la mesure où il n'est qu'un rappel de la qualité fondamentale du personnage : ainsi s'expliquent des noms comme *Sotin, Teste-Verte, Teste-Creuse, Socte-Myne, Fine-Myne, Rapporte-Nouvelles, Mireloret,* etc. En fait, le *sot* ne doit son existence scénique qu'à son costume — une simple robe grise — et même à l'élément essentiel de ce costume, un capuchon à oreilles d'âne qui a pour fonction d'évoquer la caractéristique quasi unique du personnage, sa folie, qualité qui, d'une part, doit à la tradition une convention d'immunité — qui s'étend à tout acte comme à toute parole — et qui, d'autre part, compte tenu du renver-

7. Il est à noter que les maris complaisants ou trompés des pièces conjugales sont souvent savetiers. Influence du folklore?

sement des valeurs dont témoigne le paradoxe du christianisme au XVe siècle, est gage de sagesse : le *fou* — ou le *sot* — est alors admis comme étant vis-à-vis de la société dans un rapport d'exclusion-supériorité, à l'image de Dieu qui est le premier fou-sage [8]. Le rôle du *sot* dans nos pièces, n'est jamais tenu par un personnage unique [9] : la fonction critique est toujours assurée par un *groupe* de sots (de deux à cinq) dirigés dans leurs ébats par un *meneur de jeu, Mère Sotte* sous ses différents pseudonymes, qui constituent le tribunal devant lequel comparaissent la société et les responsables du régime. Dans des pièces vraisemblablement plus tardives — ou appartenant à un autre milieu que celui des basoches —, le *sot* laisse sa place au *galant,* mais la fonction du rôle change : le galant n'est plus un censeur, il est un patient, une victime immolée sur la scène à fin d'exemple pour un public qui se voit ainsi déléguer implicitement ce qui caractérisait le rôle du *sot,* la fonction critique.

Le second groupe des personnages de la sottie, l'élément mis en cause, est constitué de personnages symboliques qui sont, pour la plupart, des personnifications allégoriques des classes sociales, ou d'entités, qui comparaissent — de manière explicite ou implicite — à la barre des accusés, comme *Chascun, Plusieurs, les Gens, le Monde, la Chose Publique,* etc. Dans les sotties où le *sot-censeur* laisse sa place au *galant-victime,* celui-ci entre dans le groupe des éléments mis en cause; il est alors un *sot-ecclésiastique,* un *sot-dissolu* (Église), un *sot-glorieux* (Noblesse), un *sot-corrompu* (Justice), un *sot-trompeur* (Bourgeoisie marchande), un *sot-ignorant* (Peuple), ou tout simplement un *fol-gentilhomme,* un *fol-marchand,* un *fol-laboureux.* Généralement, l'élément mis en cause et incriminé, qui est convaincu de folie, rejette la responsabilité de son état et de

8. C'est d'ailleurs là le critère qui permet de distinguer le *sot* du *badin,* personnage de farce. Le *badin,* être naïf et niais, se définit, à l'origine tout au moins, par un rapport d'exclusion-infériorité vis-à-vis de la société. Ce n'est que plus tard qu'il devient un *niais feint* et se rapproche ainsi du sot.

9. C'est là un des critères qui permettent de différencier farces et sotties : lorsqu'il apparaît dans la farce, le *sot* est toujours seul : il a alors un rôle *hors-jeu* qui consiste, comme dans la *Farce du povre Jouhan,* à commenter, à l'intention du public auquel il se substitue, les phases de l'action.

sa conduite (soit ouvertement en se transformant d'accusé en plaignant — ce qu'il est parfois dès le départ lorsqu'il s'appelle *Mestier, Marchandise, le Berger, Sotte-Commune, la Chose Publique,* etc. —, soit implicitement en se montrant dans ses actes dépendant et asservi) sur les personnages du troisième groupe qui représentent la cause du mal, du dérèglement social.

Ces personnages qui ont pour fonction de dévoiler aux yeux du public les causes du malaise social et des injustices qui le provoquent, et contre lesquels est dirigée la mise en accusation, ne peuvent évidemment pas être les cibles précises de la vindicte populaire, les responsables nommément désignés d'un régime qui ne donne pas satisfaction. Aussi seront-ils des allégories abstraites et très générales, bien que parfaitement signifiantes; c'est généralement *le Temps-qui-court* ou *Folie* qui symbolisent les deux forces qui orientent la politique : le pouvoir — nature et effets — et la moralité collective.

Ainsi n'y a-t-il aucune commune mesure entre les personnages de la farce et ceux de la sottie, pas plus qu'entre leurs thèmes ou leur finalité respective. Il est évident que des oppositions aussi fondamentales vont en déterminer d'autres à tous les niveaux : à celui de la structure d'ensemble — ou de l'action — comme à celui de la mise en scène, à celui de la technique des échanges, du dialogue, comme à celui du rire qu'elles font naître et qui est déterminant pour ces pièces cataloguées comme comiques.

Au niveau de la structure — ou de l'action — la farce et la sottie se différencient nettement. La première, pur divertissement, se borne à présenter une aventure anecdotique qui se déroule sur un plan linéaire : l'action scénique veut calque caricatural du réel, et la structure — si toutefois on peut parler de structure pour ce qui n'est guère, nous verrons, qu'une juxtaposition de procédés — est subordonnée à l'action. Dans la seconde, plus intellectuelle, l'action est soit figurative, soit nettement symbolique : obéit à une logique démonstrative — et de ce fait, elle moins statique que celle de la farce — et repose bien sur une structure signifiante qui lui apporte un plan signification complémentaire.

Cette opposition se répercute évidemment sur les différents aspects de la mise en scène : alors que, dans la farce, décor, costumes et accessoires sont réalistes parce que conditionnés par l'action [10], dans la sottie, le décor est réduit et figuratif : le plus souvent, il se compose d'un simple siège placé sur une estrade entre deux portes — symbolisant ainsi un tribunal. Quant aux costumes et aux accessoires, ils sont signifiants et déterminent l'action qui a pour rôle de les mettre en valeur. De la même manière, les déplacements des acteurs, les jeux de scène, assez libres et réalistes dans la farce — où ils traduisent le plus souvent des réactions psychologiques —, sont très précisément calculés dans la sottie où ils deviennent figuratifs et signifiants. Ajoutons à cela que l'action est réglée dans la sottie par un meneur de jeu en titre, alors que, dans la farce, ce rôle de direction, assuré de manière occasionnelle, n'est destiné qu'à mettre en valeur le comportement d'un personnage particulier : il n'y a aucune commune mesure entre Mère Sotte dirigeant les ébats de ses suppôts et l'épouse infidèle qui organise la fuite de son amant tout en retenant et en égarant son jaloux de mari.

Des conceptions de mise en scène aussi différentes justifient l'opposition des deux genres au niveau de la technique des échanges. Alors que la farce présente un *dialogue* *dramatique* (dans la mesure où il adhère à une action qui progresse entre un début et une fin), réaliste et fonctionnel, la sottie utilise un dialogue impressionniste, générateur d'tion par son rythme, qui repose sur un jeu d'alternances su entre des échanges véritables — qui peuvent revêtir une forme dynamique *(dialogue-dramatique)* ou une forme statique *(dialogue-discussion)* — et des duos, qui présentent eussi une double forme, forme dynamique *(dialogue-fo*t forme statique *(dialogue-constat).* Cette complexité et technicité du dialogue de la sottie se justifient par la fonction qu'il assume : générateur d'action, il est

---

10 ...r se réduit bien souvent à une simple estrade qu'un rideau, servant de cou...pe en deux et sur laquelle se trouvent les quelques meubles nécessaires à l'...le, banc, lit, baquet, etc. Cf. les tableaux de Bruegel.

aussi porteur du message satirique et voile immunisateur. Dans la farce sa fonction est une.

En bref, et c'est là un point d'opposition capital, dans la farce, qui s'adresse à l'instinct, l'importance première est accordée aux personnages, alors que dans la sottie, théâtre de la Raison, c'est à la mise en scène qu'elle est dévolue. Et si l'on appliquait à ces deux genres la fameuse opposition brechtienne, on pourrait dire que si la farce répond à une *esthétique d'ouverture* — ouverture pratique et sentimentale, donc bourgeoise[11] — la sottie, elle, comme notre théâtre moderne, répond à une *esthétique de fermeture* — ou d'ouverture idéologique qui tend en fait à fermer l'œuvre.

11. Conforme à l'idée de *catharsis* chez Aristote.

5

La farce médiévale : évolution et structures

Les personnages et les thèmes des farces conditionnent les « structures » de ce genre qui met en scène, outre des contes empruntés à la tradition narrative et des tranches de vie quotidienne « prises sur le vif », les types dont le monologue avait favorisé la naissance. Mais peut-on véritablement parler de « structures » dans un genre naissant et à caractère populaire? La technique dramatique comique en ses débuts ne se caractérise-t-elle pas par un certain empirisme qui conduit les auteurs à prendre peu à peu conscience de l'existence de procédés spécifiques lesquels, dans un temps ultérieur seulement, serviront de fondement à l'élaboration de véritables « structures »? C'est la raison pour laquelle, dans cette présentation qui n'a aucunement la prétention d'être exhaustive, nous avons choisi une progression qui s'appuie sur la plus ou moins grande complexité des farces dans leur déroulement — et des principes moteurs de leur genèse — et qui, de ce fait, se voudrait suggestive de l'évolution du genre. On pourra évidemment nous objecter que l'échantillonnage retenu ne représente vraisemblablement qu'une infime partie de la production totale de l'époque considérée, que beaucoup de pièces sont impossibles à dater avec précision et que la plupart de celles dont nous disposons sont sans doute contemporaines. Mais même si le hasard seul ou le goût d'un unique amateur ont conditionné la constitution du corpus dont nous disposons, celui-ci en est-il pour autant moins représentatif? De plus, la coexistence de différents genres et de pièces de valeurs diverses en une même époque ne contredit pas le principe d'une progression dans la recherche dramatique : de tous temps de pâles imitateurs ont côtoyé des créateurs de génie. Nous commencerons donc par examiner les simples *parades,* puis les *farces techniques,* pour mieux comprendre comment l'amélioration de ces dernières a pu conduire aux *farces d'intrigue* dont les plus élaborées présentent déjà les procédés et les structures que le génie comique d'un Molière portera à leur point de perfection.

Les simples parades

Simples divertissements de fêtes visant à entretenir l'euphorie collective, les *parades* sont des types rudimentaires, sans organisation consciente, qui se contentent de porter à la scène quelque bon tour ou quelque scène de la vie quotidienne — surtout des disputes conjugales — dans leur déroulement linéaire, quand elles ne consistent pas tout simplement à filer la métaphore érotique pour mieux s'intégrer au contexte général de « rabaissement grotesque » qui caractérise les réjouissances carnavalesques.

Le bon tour

De tous temps, mais plus encore au Moyen Age où le rire était féroce, on s'est diverti aux dépens de la crédule victime d'un bon tour ou d'une mystification. Et les auteurs ont abondamment exploité cette veine comique. Bien souvent, il suffit de mettre en scène une simple plaisanterie — généralement de fort mauvais goût — comme dans la *Sottie de Trotte Menu et Mire Loret* (D, XIII) [1], pour déclencher l'hilarité de l'assistance : deux sots — qui n'ont de *sot* que leur nom et sans doute leur costume — entrent en scène en débitant des balivernes traditionnelles qui font d'eux des types de farce : un ivrogne et un mari battu par sa femme. Tout heureux de se rencontrer, les deux compères, après un échange de banalités de circonstances, décident de se divertir à un jeu inventé par Trotte Menu. Ce dernier propose

---

1. Nous utiliserons le sigle D pour désigner le *Recueil Trepperel* édité par Mlle Droz.

en effet à Mire Loret d'essayer, les yeux bandés et sans l'aide des mains, de saisir entre ses dents une pièce de monnaie que lui, Trotte Menu, se collera sur le front. Mire Loret accepte et lors de la première phase du jeu, par maladresse, fait tomber à terre la fameuse piècette. Trotte Menu la ramasse alors et, tout en déclarant à haute voix qu'il la remet en place, la pose délicatement sur la partie la plus charnue de son individu, après avoir baissé ses chausses. On imagine la suite... et la colère du joueur mystifié, colère qui engendre une dispute ponctuée de coups.

En dehors des intermèdes de ce type — et qui ont dû être légion —, les auteurs ont surtout puisé les sujets de leurs parades dans le vieux fonds narratif folklorique. C'est vraisemblablement des *Repeues franches de Maistre François Villon* — petit recueil de nouvelles dans la tradition du *Roman de Renard* et très en vogue dans la seconde moitié du xve siècle — que s'inspire la *Farce nouvelle de la Tripière* (C, LII) [2] dans laquelle deux mendiants, qui se sont vu refuser l'aumône par une tripière, se vengent en simulant devant son étal une dispute au cours de laquelle ils s'emparent de tripes qu'ils vont déguster en se gaussant de leur victime. De la même manière, la *Farce de Cautelleux Barat et le vilain* (C, XII) utilise, en plus du précédent thème de la dispute, deux motifs de contes populaires très répandus : deux mauvais plaisants, Cautelleux et Barat, abusent de la crédulité d'un vilain qui, tenant son âne en laisse, vient vendre au marché le produit de son travail. Cautelleux commence par proposer à Barat de détacher l'âne du vilain pendant que lui-même prendra la place de la bête pour faire croire à son propriétaire qu'elle était en fait une âme condamnée à accomplir sous cette forme sept ans de purgatoire et dont ladite peine vient de prendre fin. Ce premier tour réussit puisque Cautelleux apitoie si bien le naïf vilain que celui-ci lui donne de l'argent et lui laisse la bride pour l'emmener en souvenir au paradis! Mais nos deux lascars n'arrêtent pas là leurs plaisanteries car, lorsque le malheureux vilain a installé sur la place du marché les pots qu'il vient y vendre, Cautelleux s'approche de l'étal et saisit un pot dans chaque

2. Nous utiliserons le sigle C pour désigner le *Recueil* édité par G. Cohen.

main comme pour marchander : c'est le moment que choisit Barat pour venir lui annoncer la prétendue mort de son père. De saisissement — feint — Cautelleux laisse choir à terre les deux pots qui se brisent et s'éloigne avec Barat poursuivi par les imprécations de leur victime à qui ils vont jouer un troisième tour. En effet, sur le chemin du retour, le vilain se heurte à Barat enfermé dans un sac qui lui déclare qu'il ne doit ce mauvais traitement qu'à son refus persistant d'accepter la prêtrise. Le naïf, voyant là une aubaine, accepte de remplacer Barat dans le sac et de suivre le conseil qu'il lui donne de répondre seulement « Baillés m'en largement » à toute question qu'on lui posera. Cautelleux arrive alors et obéit aux injonctions du vilain en lui « baillant »... une volée de bois vert! C'est là un exemple caractéristique de la parade de foire médiévale : elle n'est généralement que la mise en scène d'un bon tour dont le déroulement linéaire s'effectue sans retournement de situation [3], et elle révèle cet aspect cynique et féroce du rire que soulignent les nombreuses pièces dans lesquelles la victime est un infirme, un aveugle qui ne peut éventer le piège ni parer les coups qu'il reçoit, comme dans le *Jeu du garçon et de l'aveugle* — seule pièce qui remonte au XIIIe siècle — ou la *Farce du Goguelu* (C, XLV). Tous les effets de ces pièces rudimentaires reposent essentiellement sur le comique de gestes — des coups —, d'attitude ou de comportement. Pourtant, les motifs empruntés à la littérature narrative populaire pouvaient prendre une autre valeur comique : il suffit, pour ce faire, que le bon tour ne se justifie pas uniquement par le désir d'abuser de la crédulité de quelqu'un. C'est ainsi que le *motif de la mise en sac* voit son pouvoir comique décuplé lorsqu'il est présenté comme le moyen choisi par une femme et son amant pour se débarrasser d'un mari jaloux à qui l'ont fait croire que c'est pour lui la seule manière de gagner le paradis (*Farce de Janot, Janette, l'Amoureux, le Fol et le Sot,* éd. P. Aebischer). De

3. Et dont la genèse repose sur l'exploitation de motifs empruntés au fonds narratif. La parade perpétue ainsi l'esprit des fabliaux auxquels elle doit l'idée de procédés plus proprement dramatiques, comme celui du changement de voix qui est la forme la plus rudimentaire du déguisement.

la même façon, le *motif de la substitution* est autrement plaisant quand il est illustré par la manière dont un moine lubrique et son comparse remplacent par une pierre la femme qu'un mari jaloux transporte dans sa hotte (*Farce de la femme qui fut desrobée à son mari en sa hotte,* C, XXIII). Ajoutons que, dans cette pièce, le motif est redoublé puisque, après avoir satisfait sa passion, le moine, qui a fait croire au mari effondré de voir sa femme transformée en pierre que c'était là la punition infligée par Dieu à sa jalousie, réussit — pendant que le benêt prie Dieu de lui pardonner — à opérer la substitution inverse, ce qui contribue à faire croire au malheureux cocu qu'il a été témoin d'un miracle! La simple recherche d'une motivation psychologique au bon tour suffit à transformer la simple parade en farce; le rire ne repose plus sur le seul comique de gestes. Cette évolution a d'ailleurs pu être facilitée par l'utilisation dramatique de nombreux motifs de fabliaux dont le moins connu n'est pas celui de l'*ignorance sexuelle* et qu'illustre à sa manière une farce comme *le Médecin et le badin :* un mari, qui a engrossé sa chambrière pendant un long pèlerinage de sa femme, se trouve fort embarrassé lors du retour de cette dernière et doit recourir aux bons soins d'un médecin de ses amis; sur ses conseils, il simule de violents maux de ventre qui déterminent la naïve épouse à consulter l'instigateur du bon tour, lequel lui déclare que son mari étant « enceint » ne pourra être libéré que s'il transmet sa progéniture à sa chambrière. A la suite de quoi, l'épouse éplorée ne peut que supplier sa chambrière de partager le lit de son mari en lui assurant de reconnaître le fruit de cette union comme le sien propre. D'ailleurs les dissentiments et les problèmes conjugaux allaient être un des thèmes privilégiés du théâtre médiéval.

Les scènes de dispute

Sortes de *sketches* très prisés en cette époque où l'antiféminisme assurait le succès des *Quinze Joyes de mariage,* les scènes de disputes conjugales — inspirées du réel quotidien ou de fabliaux comme *le Dit de Dame Jouenne* — sont de simple dialogues ponctués de coups qui traduisent la rivalité du mari et de la femme, désireux l'un et l'autre d'assurer la direction du ménage. La plupart du temps, la dispute naît du refus de l'épouse d'obéir à son mari qui lui demande de vaquer aux travaux ménagers et de préparer le repas; et très vite les deux époux en viennent à se jeter à la face leurs griefs réciproques : si la femme est accusée d'être mauvaise ménagère, dépensière, coquette, infidèle, le mari, lui, se voit reprocher son avarice, sa fainéantise, son impuissance sexuelle, et on lui rappelle une dot dilapidée et de multiples prétendants éconduits pour lui qui ne le méritait pas. Autant de reproches dont le nombre et la gravité croissent avec les coups qu'ils déclenchent. Parfois cependant cette rivalité est présentée sous une forme allégorique comme dans la *Farce de l'obstination des femmes* (A. T. F., I, 3)[4] ou son « remake » la *Farce de la mauvaistié des femmes* (C, XLVIII). Ici la dispute naît d'un désaccord sur la nature de l'oiseau qu'il convient de mettre dans la cage que vient de fabriquer le mari, celui-ci tenant pour une pie — symbole de la femme bavarde et coquette — et l'épouse pour un coucou — c'est le mari berné et cocu : il s'agit donc en fait, pour chacun des deux rivaux, d'assurer sa domination sur l'autre.

Très vite cependant les auteurs ont senti le besoin de prolonger ces parades verbales et gestuelles par une sorte de dénouement qui rénove le seul comique de dispute. Dans la *Farce nouvelle du pect* (A. T. F., I, 7), Hubert et son épouse se chamaillent à propos d'un vent malodorant échappé à l'un d'eux et dont aucun ne veut endosser la responsabilité; mais ce débat traditionnel est amplifié grâce à l'arrivée d'un nouveau personnage, un procureur qui, s'étant approché afin de *sçavoir se gaignage y pourroye avoir en leur debast,* emmène les deux rivaux devant le juge où la dispute redouble de vigueur jusqu'au moment où l'homme de loi, lassé, déclare en guise de sentence que, mari et femme ne faisant qu'un, il est nécessaire pour chacun d'eux de considérer les *bruits* de l'autre comme les siens propres! L'intrusion d'un tiers permet donc ici non seulement de redoubler la dispute initiale, mais surtout de la conduire à un dénouement autre que celui que constituait l'abandon de l'un des combattants.

---

4. *Ancien Théâtre Français,* édité par Viollet-le-Duc, 3 vol.

Le désir de créer une véritable intrigue à partir du motif de la dispute a pu amener les auteurs à utiliser la variante du *défi dénoué par un tiers.* Dans la *Farce du chauldronnier* (A. T. F., II, 30), après la traditionnelle dispute ponctuée de coups, le mari met son épouse au défi de se taire et celle-ci relève le pari. Tous les deux s'enferment alors dans un mutisme complet, lorsque arrive un chaudronnier. Ce dernier les interpelle sans succès, puis s'approche du mari, lui pose par plaisanterie un pot sur la tête et une cuiller dans la main et enfin le barbouille : peine perdue, le mari ne bronche pas. Le chaudronnier s'approche alors de la femme et, tout en soliloquant, se permet à son égard quelques petites privautés qui ont pour effet de faire bondir de fureur le mari qui, sortant de son mutisme, frappe violemment de sa cuiller le perturbateur. Il n'en faut pas plus pour que la femme prétende avoir gagné son pari et invite le chaudronnier à venir fêter sa victoire à la taverne! C'est une démarche identique que présente la *Farce des Droits de la porte Bodes* (C, XV) qui utilise les données des deux pièces précédentes : après une dispute pour savoir qui des deux fermera la porte, un mari et sa femme s'entendent pour admettre que le premier des deux qui parlera devra céder. C'est le défi du silence. Passe alors un juge qui s'adresse au mari sans résultat, puis se tourne vers la femme qu'il caresse sans équivoque; le mari reste imperturbable et c'est ici la femme qui, à peine l'intrus parti, reproche à son époux de ne pas l'avoir protégée contre les privautés du juge. Le mari lui déclare alors qu'elle a perdu son pari, mais elle refuse de le reconnaître. Il la fait donc citer au tribunal où la rebelle lit au juge les *droits de la porte Bodes* (sorte de rollet comparable à celui du *Cuvier),* ce qui fait pencher la balance en sa faveur et condamner le malheureux mari. Ajoutons aussi que, dans cette parade, le thème même de la dispute est rénové : en effet, préfiguration du dénouement, le mari accepte d'encaisser les coups à condition que sa femme crie comme si c'était elle qui les recevait!

Pourtant, bien que l'on constate dans ces pièces un effort évident pour parvenir à un comique plus fin, elles restent de simples parades fondées sur le verbe et le geste, même lorsque les auteurs font appel à un tiers non plus pour dénouer la dispute — ou le défi — mais pour la provoquer. Le procédé reste d'ailleurs factice comme dans la *Farce des Chambrières* (C, LI) où la dispute entre Guillemette et Marguerite est suscitée par le personnage allégorique de Débat. Parfois cependant on note une meilleure intégration à la pièce de ce personnage fonctionnel qui devient le moteur d'une petite intrigue : dans la *Farce du rapporteur* (L, V) [5], un badin réussit à dresser le mari contre la femme et la femme contre la voisine; mais la dispute générale qui en résulte se retourne contre lui. Bien que le thème fondamental de cette parade reste celui de la dispute, il y a ici rénovation dans la mesure où la dispute n'est ni spontanée ni gratuite : elle est le résultat d'une situation qui se dénoue par retournement; nous sommes ici à la limite de la farce d'intrigue.

Les proverbes en action

Le goût de l'allégorie et l'habitude de certaines formes plastiques de spectacle, comme les *tableaux vivants* placés lors des entrées royales sur le parcours emprunté par le cortège, ont pu faire naître l'idée de mettre en action des proverbes ou des expressions populaires. Telle est la genèse de la *Farce des femmes qui font baster leurs maris aux corneilles* (C, XXIX) ou de la *Farce des femmes qui font acroire à leurs marys de vecies que ce sont lanternes* (C, XV). Ce ne sont guère là que de simples parades dont les protagonistes restent le mari et la femme et qui consistent à intégrer à une intrigue figurative et illustrative les scènes de dispute traditionnelles — amplifiées grâce au doublement des personnages principaux.

La seconde de ces farces s'ouvre sur une violente dispute entre deux poissonnières qui, après avoir mis en doute la fraîcheur de leur marchandise réciproque, s'insultent et, malgré les efforts d'une vieille qui essaie de les calmer, se menacent l'une et l'autre de dévoiler à leurs maris respectifs leurs infidélités conjugales. Or, le hasard fait justement que les deux maris, ivrognes invétérés, passant près du marché pour se rendre à la taverne, ont assisté à la

---

5. *Recueil La Vallière* édité par Le Roux de Lincy et Fr. Michel.

fin de la dispute. La révélation de leur infortune leur fait prendre la décision de rosser leurs femmes à leur retour. Mais ces dernières, s'étant aperçues de leur imprudence, sur les conseils de la vieille qui les suit se munissent d'une vessie avant de regagner leur logis et, à peine arrivées, interrogent leurs maris sur la nature de l'objet qu'elles rapportent. Ceux-ci répondent fort bien, mais les femmes appuyées par la vieille, prétendent que ce sont en fait des lanternes et elles accusent leurs maris d'ivrognerie : ils n'ont plus alors qu'à solliciter le pardon de leurs rusées épouses ! Dans la première pièce, deux femmes pour se débarrasser de leurs maris afin de recevoir leurs amants les envoient l'un *baster aux corneilles* et l'autre *paistre a Charonne.* Les deux naïfs s'exécutent mais ayant des doutes ils reviennent chez eux pour entendre leurs femmes se vanter du bon tour dont ils ont été les victimes et dont ils se vengent en rouant de coups les infidèles.

Les parades érotiques

Comme l'a constaté M. Bakhtine, le « bas matériel et corporel » était un des thèmes favoris du rire carnavalesque; aussi ne nous étonnerons-nous pas de trouver de nombreuses pièces qui sont uniquement fondées sur le déroulement filé d'une équivoque ou d'une métaphore érotique comme la *Farce des femmes qui font escurer leurs chaulderons* (A. T. F., II, 29) ou la *Farce des femmes qui font rembourer leur bas* (C, XXXVI). L'équivoque ne trompe personne lorsque deux commères, après s'être plaintes *(Par mon ame mon bas me blesse)* et après avoir pris la décision de faire *rembourer* leur *bas,* s'adressent en ces termes à un homme du métier :

Monseigneur le cuir est bien tendre,
Boutez y le baston de mesure.

Ou lorsque deux femmes déclarent à un chaudronnier :

Mon chaulderon fait de l'eau
Aupres du cul, quant il est chaut;
Et pour cause, maignen il fault
Que y mettez une bonne piece.

Et la suite de la parade montre le chaudronnier à l'œuvre, en train d'*estouper* avec sa *broche* les *chauderons percés!* Même démarche encore dans la *Farce des chamberières qui vont à la messe de cinq heures* (A.T.F., II, 50). On peut même se demander si, compte tenu du dialogue et du caractère transparent de la métaphore, la parade ne consistait pas tout simplement à mimer grossièrement l'acte sexuel sur la scène, hypothèse qui n'a rien d'invraisemblable dans l'atmosphère de complète libération des instincts qui caractérise la fête carnavalesque. Même lorsque le jeu de scène métaphorique est plus pudique, comme dans la *Farce du cousturier* (L, V) il ne laisse place à aucun doute :

La chambrière (qui fait prendre ses mesures pour une robe) : Je veulx le corps senglé
Et que la poincte serre fort.
Le badin : Je veulx mourir de layde mort
Sy le cas ne vient de mesure.
Dresés vous droict que je mesure
La grandeur du bas un petit
La chambrière : Hay! Hay! Hay!
Le badin : Vous me faictes apetit
Me faisant dresser la palete.
Mais laissés moy prendre fillete
Un peu ma mesure a loisir.
La chambrière : Trop me faictes de desplaisir
De me toucher en cest endroit.

Les parades érotiques, les mises en action de proverbes, les scènes de disputes et les bons tours ne sont donc en fait que de brèves et rudimentaires manifestations d'un théâtre de réjouissances carnavalesques, de simples amusements. La prise de conscience de procédés dramatiques spécifiques allait s'opérer surtout avec les *farces techniques.*

Les farces techniques

Toutes les pièces de cette catégorie témoignent du premier effort conscient des auteurs pour découvrir et affiner les procédés qui permettront la naissance d'un véritable art dramatique; toutes elles reposent sur un mode d'élaboration *technique* qui consiste soit à passer par fractionnement du monologue au dialogue, soit à mettre en scène des *débats,* soit enfin à bâtir une pièce entière sur l'utilisation d'un seul procédé, généralement verbal.

Fractionnement des monologues et pièces complexes

Nous avons vu, au chapitre 3, comment l'attitude parodique caractéristique de la fête populaire avait conduit aux premiers monologues dramatiques et à la naissance de types. Le déclin de la vogue des monologues, joint au désir de présenter ces types en action dans une pièce où l'intérêt soit soutenu par une intrigue indépendante, ont pu aboutir à un effort de rénovation des monologues primitifs par une présentation dialoguée qui en modifie la finalité : au lieu de chercher uniquement à faire rire, on essaie maintenant de créer l'illusion d'une vie scénique indépendante. Du jeu on passe au théâtre.

Les auteurs ont donc commencé par fractionner un monologue (sermon ou monologue d'amoureux) pour intercaler entre les fragments les protestations d'un interrupteur *(Sermon de bien boire, du prescheur et du cuysinier)* ou les questions d'un tiers intéressé *(Dyalogue de Beaucop Veoir et Joyeulx Soudain) :* c'était là matérialiser sous la forme d'un rôle secondaire les réactions d'un auditoire. On aboutit ainsi, comme dans le premier cas cité, à une pseudo-intrigue de farce, dans la mesure où l'on crée artificiellement une dispute qui se dénoue par la victoire de l'un ou l'autre des opposants. On peut aussi fractionner le monologue initial, surtout lorsqu'il s'agit d'un monologue de franc-archer, pour intercaler entre les fragments les reparties d'un contradicteur qui dégonfle terme à terme les vantardises du fanfaron *(Farce du gaudisseur et du sot);* c'est là cependant un procédé factice et qui ne crée pas une véritable action : on se borne à présenter au public des points de vue opposés. Parfois cependant, un choix judicieux du contradicteur, comme dans la *Farce du gentilhomme et son page* peut aboutir à la création d'un type nouveau : le valet de comédie. Et dès lors le couple maître vantard-valet rusé deviendra le couple fondamental de nombreuses pièces telles la *Farce de Légier d'argent* (C, XXV) ou la *Farce du Ramonneur de cheminées* (C, XXX) dont l'action consiste à opérer le dégonflement du fantoche non aux yeux du public, mais aux yeux d'un tiers qui est le plus souvent sa femme [6].

Le désir de créer une véritable action de farce devait amener les auteurs à mettre face à face deux types identiques, de manière à obtenir un conflit. Cette idée, qui était en germe dans les *concours de bourdes* du XIIIe siècle, était facilement réalisable : il suffisait de redoubler un monologue de fanfaron, de fractionner les deux monologues obtenus et d'intercaler les fragments. Telle est la genèse de la *Farce nouvelle des maraux enchesnez* (C, XLII) et de la *Farce des deux francs archiers qui vont à Naples* (C, XIV). Le succès vraisemblable de ces pièces a d'ailleurs conduit les auteurs à les amplifier par simple réduplication des personnages : dans la *Farce de l'Aventureulx et Guermouset,* qu'E. Philipot date d'après 1528, les rôles de fanfarons — l'Aventureulx et Guermouset — sont redoublés par la présence des fils de chacun d'eux — Guillot et Rignot. La dispute naît d'une rivalité entre ces derniers à propos d'une cure. Prenant chacun parti pour leur fils, les deux fanfarons de pères essaient d'abord de s'effrayer mutuellement par des menaces transmises par messager, puis passent au combat après s'être défiés (les défis sont de beaux morceaux dans la tradition des monologues de soldats fanfarons : l'attitude provocatrice et la bravoure forcée dont chaque combattant fait preuve à l'égard de son adversaire, sont en effet démenties par les paroles qu'il adresse à son fils et qui traduisent sa lâcheté et sa couardise). Mais chacun d'eux est terrifié à la simple vue de l'autre. Aussi, après avoir évoqué de pseudo-souvenirs de guerre qui les rapprochent, abandonnent-ils la lice à leurs fils : ceux-ci s'opposent en une joute oratoire scolastique qui se termine à la satisfaction de chacun puisqu'il est décidé de pourvoir l'un et l'autre d'une cure imaginaire [7].

---

6. Ajoutons que ce schéma a permis la mise au point des procédés de l'*aparté* et du *que dis-tu?* (aparté dégonflement — question — rectification — aparté amplification).

7. Le succès du type, sa valeur dramatique et la facilité des schémas qu'il permettait ont d'ailleurs donné naissance à un véritable cycle auquel il faut rattacher des pièces comme la *Farce de Maistre Mymin qui va à la guerre* (C, IV) dans laquelle pour reprendre son fils Mymin, Lubine, en poussant un seul cri de guerre, met en fuite les trois capitaines fanfarons qui l'avaient enrôlé, ou la *Farce de Colin fils de Thévot le Maire qui vient de Naples et amaine ung turc prisonnier* (A.T.F., II, 47).

Pour déguiser la technicité de cette genèse, les auteurs ont essayé de donner une motivation réaliste au conflit qui sert d'action. Il suffisait d'opposer deux types différents comme dans la *Farce du pardonneur, du triacleur et de la tavernière :* un vendeur de reliques et un herbier — deux types de charlatans — rivalisent de boniments, se disputent et s'injurient, chacun désirant faire partir l'autre pour conserver pour lui seul l'auditoire de badauds; pour enlever tout caractère factice à cette dispute, l'auteur la clôt par un dénouement de farce qui consiste pour les deux charlatans à faire la paix aux dépens d'une tavernière chez laquelle ils consomment sans payer. C'est la même genèse qui sous-tend la *Farce du chauldronnier, du savetier et du tavernier* (A.T.F., II, 31) dont la première partie est une reprise de la pièce précédente : un chaudronnier et un savetier poussent leurs *cris* de métier pour attirer la clientèle, se disputent pour se faire taire réciproquement, se battent puis se réconcilient en allant boire. Mais l'auteur développe ici le dénouement farcesque qui, dans la précédente pièce, était très bref; c'est une prolongation artificielle par un pot-pourri de situations empruntées à d'autres farces et notamment à *Pathelin :* au moment de payer leur écot, le savetier et le chaudronnier s'aperçoivent qu'ils n'ont pas d'argent et ils se sauvent, poursuivis par le tavernier auquel ils décident de jouer un bon tour. En effet quand ce dernier parvient au logis de ses débiteurs, il se heurte au chaudronnier déguisé en femme qu'il ne reconnaît pas et reçoit une volée de coups du savetier qui joue l'« enraigé ». Comme le drapier Guillaume, le malheureux tavernier n'a plus qu'à battre en retraite.

Ainsi une genèse très technique permettait-elle de passer des monologues traditionnels de types déterminés à des farces à deux voix et de là à des pièces complexes reposant sur des imbrications et des oppositions de dialogues, bref à faire se rencontrer, selon toutes les solutions mathématiquement possibles, des groupes de personnages dialoguant deux à deux. Mais très vite, le caractère factice de l'action scénique ainsi obtenue fut sensible, ainsi que la nécessité de dépasser ce stade technique pour aboutir à de réelles intrigues fondées sur la psychologie des personnages et la recherche d'un comique de situations.

La mise en scène des débats

Quelques auteurs ont eu l'idée d'adapter à la scène des *débats* rhétoriques dont la déclamation présentait déjà un caractère dramatique. Ils obtiennent ainsi des pièces à deux voix souvent figées comme le *Débat du marié et du non marié (Recueil de poésies françoises,* t. IX, p. 148) ou un peu plus vives comme le *Dialogue des Abusez du temps passé* de R. de Collerye (*Œuvres,* p. 81), mais sans action autre qu'une joute verbale entre un défenseur et un adversaire du mariage. On note parfois un effort pour déguiser le statisme du jeu en multipliant le nombre des acteurs comme dans la *Farce de Regnault qui se marie a Lavollée* (C, VII) où apparaissent six personnages : Regnault, Godin-Fallot, Franc-Arbitre, Lavollée, Messire Jehan et son clerc. Mais l'action se réduit à une simple discussion entre Regnault qui veut se marier et Godin Fallot assisté de Franc-Arbitre, qui veulent l'en dissuader en évoquant les maux traditionnels du mariage. Le dénouement revêt d'ailleurs un caractère allégorique, puisqu'en épousant Lavollée au nom évocateur Regnault renonce à Franc-Arbitre — sa liberté — et à Godin Fallot — son état de jeune galant insouciant. On retrouve une démarche analogue avec la *Farce des malcontentes* (L, V) qui oppose la jeune fille, la femme mariée, la veuve et la religieuse : c'est un long débat très rhétorique qui s'exprime à travers un dialogue qui repose sur des structures fixes et que relance chaque entrée en scène d'un personnage. La pièce s'ouvre sur les plaintes de la jeune fille qui laisse percer ses vifs regrets de ne pas être mariée car elle ne voit dans cet état qu'avantages; arrive alors la femme mariée qui lui reproche ses plaintes en lui exposant sa propre expérience de femme déçue par un vieux mari jaloux; mais l'entrée en scène de la veuve qui exprime sa douleur d'avoir perdu un mari qu'elle chérissait et qui la comblait de bonheur rétablit la situation initiale; puis, apparaît une religieuse qui avoue que son vœu de chasteté lui pèse et lui rend la vie maussade. Mais l'augmentation du nombre des personnages ne contribue pas à donner plus de vie à une opposition qui ne sort pas du plan verbal. Une pièce pourtant réussit à créer l'illusion d'une action en substituant à la seule discussion l'illustration des différents points de vue par deux couples dont les partenaires sont symétriquement opposés et se rencontrent pour dialoguer selon toutes les combinaisons mathématiquement possibles : c'est la *Farce de deux hommes et leurs deux femmes dont l'une a malle teste et l'autre est tendre du cul (Recueil de Copenhague,* édité par E. Picot et Chr. Nyrop, p. 115*)*.

La pièce s'ouvre sur la rencontre des deux maris. Le premier se plaint du caractère coléreux de sa femme qui, en revanche, ne lui donne aucun sujet de jalousie. Le second, lui, se félicite d'avoir une femme douce et accueillante, bonheur qui lui fait accepter volontiers l'idée d'être trompé, car dit-il pour convaincre son voisin :

Il fault que le bas soit ouvert,
Aultrement la teste se pert
Car voys tu la challeur qu'elle a
S'esvacuera par ce lieu là
Incontinent et sans arrest...

Mais l'argument ne semble pas convaincre son compère : on assiste alors à un dialogue entre les deux épouses, la femme coléreuse se plaignant à sa commère de vivre en perpétuelle dispute avec un mari qui ne lui sait aucun gré de sa fidélité, et la femme infidèle lui rétorquant, en s'appuyant sur son exemple personnel, qu'il est de loin préférable de vivre en paix avec son époux quitte à le tromper en cachette. Mais elles se séparent sans s'être convaincues et chacune rentre chez soi. Le mari de la femme coléreuse vient alors chercher son compère pour lui proposer de constater la véracité de ses dires en assistant, caché, au retour de son épouse. Celui-ci est donc le témoin d'une scène traditionnelle de dispute conjugale qui se termine par des coups et la fuite du mari; il propose alors au malheureux d'assister de la même manière au retour de sa propre femme. Ce dernier voit ainsi se dérouler une scène qui est l'opposée de celle qu'il a vécue : la femme infidèle, dès son entrée, embrasse et cajole son mari, lui prépare un succulent repas et l'invite aux plaisirs intimes. Lorsque les deux compères se retrouvent à nouveau seuls, le mari comblé peut ainsi prouver à son malheureux voisin qu'il a tort d'attacher autant de prix à la vertu de son épouse car la quête d'aventures amoureuses pousse la femme à prendre soin de sa personne et à être agréable, ce qui, en fin de compte, profite au mari :

> Il vauldroit mieulx femme de bonne chere
> Presupposé qu'el preste le derriere
> Secretement que femme a malle teste
> Ce néantmoins qu'el soit chaste et honneste.
> Pour vivre en paix l'autre est plus singuliere.

Ainsi le jeu des dialogues, le comique verbal et le comique des situations permettent-ils de donner plus de vie à ce débat; néanmoins nous n'avons pas à proprement parler d'intrigue. Une telle technique ne pouvait conduire à de véritables farces : c'est la raison pour laquelle elle a été peu cultivée.

L'exploitation d'un procédé verbal

La plupart des pièces de cette catégorie reposent sur le seul procédé de la fausse compréhension du langage [8], donc sur un jeu verbal que l'on amplifie et qui, à la limite, aboutit à la création d'un nouveau type, le badin. Il est possible que l'idée de fonder une pièce sur des quiproquos ait été donnée par la réalité même : qui n'a pas entendu une personne atteinte de surdité comprendre de travers son interlocuteur? Et pis encore est la surdité feinte comme le rappelle le proverbe « il n'est si maus sours com cis qui ne weut oïr ». Bien que les pièces qui nous restent dont l'« intrigue » repose sur la mauvaise compréhension d'un sourd soient tardives, on peut penser, compte tenu de la propension du Moyen Age à railler les infirmités, que ce thème a été exploité de bonne heure. D'ailleurs, certaines pièces comme *le Sourd, son varlet et l'yverongne* (L, V) ou la *Farce de Maistre Mymin le goutteux* (A.T.F., II, 35) témoignent d'un mode d'élaboration rudimentaire. La première est uniquement constituée de disputes qui prennent leur source dans une incompréhension mutuelle :

> *L'Yverongne :* Chantons et laissons cecy.
> *Le Sourd :* Mort bien ! Dis tu que j'ay vecy?
> A mort !

---

8. Voir à ce propos l'article de Mme H. Lewicka dans les *Mélanges Frappier,* t. II, p. 653.

Dans la seconde, l'intrigue est un peu plus élaborée, mais elle repose sur le même moteur comique : maître Mymin, qui est goutteux, envoie son valet sourd chercher un apothicaire, mais le valet, qui a compris « vicaire », se dirige vers la cure. En chemin, il demande sa direction à un chaussetier qui, jouant le sourd, feint de le prendre pour un client et lui prend ses mesures pour lui confectionner un vêtement. Le valet s'enfuit, mais le chaussetier le suit jusqu'auprès de Mymin à qui il prend aussi ses mesures : c'est alors un quiproquo à trois entre un vrai sourd, un faux sourd et Mymin qui s'étouffe d'imprécations !

Très vite, le procédé va s'affiner et il sera utilisé pour caractériser un niais qui ne connaît un mot que par sa valeur dans l'usage quotidien. Toute la *Farce de Jeninot* (A.T.F., I, 17) repose sur les méprises verbales d'un benêt qui cherche à louer ses services : après avoir réussi à se faire engager malgré l'aveu inconscient de ses nombreux défauts, Jeninot ne tarde pas à révéler par ses propos une niaiserie peu commune. Lui ordonne-t-on de *garder* la maison : il ne peut s'empêcher de demander, comme s'il était encore chargé de garder les brebis :

> Voire, mais s'el s'enfuyt? Voyla :
> Fauldra il que je coure apres?

Lui demande-t-on de *mener* sa maîtresse à la grand-messe? Il rétorque :

> Elle n'a ni bride, ni licol
> Comment voulez vous que je la maine?

Et le nigaud, qui avait demandé, outre ses gages, à *être habillé,* commande à ses maîtres :

> Allez moy chauffer ma chemise
> Et me l'apportez vistement.

On se doute que de tels services finissent par lui valoir une sévère raclée ! Ainsi se crée peu à peu un type qui, ajouté au trio vaudevillesque mari-femme-amant, permettra de nombreuses situations comiques — surtout lorsque notre badin feint la naïveté pour en tirer profit — comme dans la *Farce du badin qui se loue* (A.T.F., I, 11).

Le procédé de la fausse compréhension du langage peut aussi être développé en jeu de scène : il constitue alors l'intrigue comme dans la *Farce de Mahuet badin qui donne ses œufs au prix du marché* (C, XXXIX). La mère de Mahuet envoie son fils porter des œufs au marché et lui recommande de ne les céder qu'au *prix du marché;* le benêt obéit si bien qu'il refuse de vendre ses œufs à une acheteuse en lui déclarant qu'il ne les donnera qu'au *Prix du Marché;* il suffit qu'un compère se présente comme étant le *Prix du Marché* pour qu'il obtienne les œufs sans bourse délier!

A un niveau plus élevé, le procédé se traduit par une incompréhension du sens figuré et devient le moteur de nombreuses farces que l'on peut regrouper sous le titre général de « Farces du benêt qu'on envoie aux écoles » : *Farce de Pernet qui va a l'escolle* (A.T.F., II, 45), *Farce nouvelle d'ung qui se fait examiner* (A.T.F., II, 46), *Farce du clerc qui fut refusé a estre prestre pour ce qu'il ne sçavoit dire qui estoit le pere des quatre filz Aymon* (C, XI). Dans cette dernière pièce, qui est une satire de l'ignorance du clergé, Jenin qui ne peut répondre à la question qui lui a été posée revient conter son échec à son maître. Celui-ci, pour prendre un exemple plus « concret », lui demande qui est le père des enfants de Collard le Forgeron... et Jenin, pris d'une illumination subite, court déclarer à l'examinateur que le père des quatre fils Aymon est... Collard le Fève! La seconde pièce nous présente un badin que sa mère destine à la prêtrise et qu'elle essaie de préparer à l'examen :

> L'on te demandera si la plume
> Tu sçais tres bien manier

ce qui n'est pas pour embarrasser notre badin :

> *Le filz :* Je ne fis jamais aultre chose
> Quant j'aloys mener nostre chose.
> *La mère :* Et quoy? Dis le moy vistement.

Le filz : Hé! nostre grant vieille oye aux champs :
Souvent lui manioye la plume.

On imagine le résultat de l'examen! Quant à la première de nos pièces, elle n'est qu'un quiproquo continuel sur les lettres de l'alphabet :

Le maistre : Quelle lettre esse là?
Pernet : Je ne sçay
Demandez le donc a ma mere.
Le maistre : B *(articulé : « bé »).*
Pernet : Sainct Jehan! il ne m'en chault voyre
Je viens tout fin droict de boire.
Je ne puis boire si souvent!

Nous retrouvons dans la *Farce de Jenin fils de Rien* (A.T.F., I, 20) le même type de badin qui cherche désespérément à savoir qui est son père. On pourrait aussi rattacher à ce cycle les farces d'écoliers qui reposent sur l'utilisation d'un jargon latin comme la *Farce de Maistre Mymin* (A.T.F., II, 44) dont le héros principal a été si bien enseigné qu'il en a oublié sa langue naturelle et ne parle plus que latin; mais sa mère et sa fiancée lui font retrouver l'usage du français en le mettant en cage pour lui apprendre à parler comme à un oiseau.

En fait, toutes ces pièces dont la genèse repose sur l'exploitation d'un procédé verbal ne présentent pas à proprement parler d'intrigue : ce sont avant tout, comme la plupart des *farces techniques,* des farces de caractères. Elles ont néanmoins permis aux auteurs non seulement de mettre au point bon nombre de procédés du comique verbal, mais encore de créer de nouveaux types comiques.

Les farces d'intrigue

Il est vraisemblable que l'on n'est pas parvenu du jour au lendemain à composer ces farces complexes qui témoignent d'un art dont Molière s'est largement inspiré. On peut penser qu'on a d'abord essayé d'améliorer les simples parades afin de parvenir à une véritable action dramatique [9], puis de trouver un certain nombre de procédés proprement scéniques permettant de nourrir cette action de péripéties et de rebondissements. Aux farces techniques statiques ont dû succéder des pièces dont le comique reposait autant sur la dynamique de l'action que sur les caractères.

Les parades améliorées

Pour transformer une simple parade en « farce d'intrigue » il suffit bien souvent de la compléter en diptyque par un retournement de situation. On suscite ainsi un intérêt comique nouveau qui repose sur la dynamique inhérente au thème du trompeur trompé, dont le vieux fonds narratif avait jadis fait un de ses thèmes de prédilection.

Il y a action dramatique comique lorsque le bon tour se retourne contre son auteur. Pour y parvenir, la solution la plus simple consiste à redoubler le bon tour en l'inversant et en amenant la punition du farceur, car un événement se répète rarement deux fois identique à lui-même et vouloir forcer le destin conduit toujours à se faire prendre : c'est ce qui se produit dans la *Farce du pasté et de la tarte* (A.T.F., II, 27). Deux malandrins se sont associés pour partager le profit de leurs larcins. L'un d'eux, en venant demander l'aumône à un pâtissier, surprend le mot de passe par lequel ce dernier fera prévenir sa femme d'avoir à lui envoyer un pâté chez les amis auprès desquels il se rend. Le larron envoie donc son compagnon chercher le pâté après l'avoir mis au courant et celui-ci s'acquitte à merveille de sa tâche. Mais lorsque le pâtissier revient chez lui, il ne peut croire le rapport de sa femme qu'il soupçonne d'avoir mangé l'objet du délit et la bat. La pièce aurait pu s'arrêter là : elle n'aurait été qu'une simple parade. Mais l'auteur a l'ingénieuse idée de renouveler l'action : celui des deux larrons qui a volé le pâté convainc son compagnon d'employer le même stratagème pour rapporter une tarte, mais l'affaire tourne mal, car il reçoit une raclée du pâtissier.

9. A une aventure complète, à un épisode de vie dont la durée réelle excède celle, très limitée, du bon tour ou de la dispute, qui sont à une « tranche de vie » ce qu'est le jeu de mots au dialogue.

Ulcéré, et pour respecter leur contrat de partage des profits et des pertes, il imagine alors de raconter à son compagnon que la pâtissière ne veut remettre la tarte qu'à celui à qui elle a donné le pâté et le benêt se précipite pour recevoir lui aussi sa raclée! Nous retrouvons le même schéma directeur dans la *Farce du pourpoint retrechy* (C, XLIV) : deux joyeux drilles décident de jouer un tour à leur camarade de beuverie, Thierry, qui est encore en train de cuver son vin. Après avoir longuement hésité entre plusieurs idées, ils décident de rétrécir son pourpoint pendant son sommeil pour lui faire croire à son réveil qu'il est enflé bizarrement et à l'article de la mort. Le mauvais tour réussit si bien que Thierry demande un prêtre. Pour parfaire leur plaisanterie, les deux comparses feignent d'accéder à sa demande et, pendant que Richard se dissimule dans la chambre, Gautier se déguise en prêtre et revient entendre la confession de Thierry; celui-ci avoue être celui qui, un jour, avait, dans l'obscurité, rossé copieusement son ami Richard qu'il soupçonnait de faire la cour à la femme de Gautier, qui est sa maîtresse depuis cinq ans et à qui il a fait deux enfants! Mauvaise surprise pour les deux trompeurs qui décident de se venger de Thierry en le noyant dans un fossé!

Le retournement de situation est d'autant plus comique qu'il n'est pas prévisible comme dans la seconde partie de la *Farce de Mahuet badin* ou dans la *Farce des deux savetiers.* Dans la première, après s'être fait passer pour « le prix du marché », Gauthier veut abuser du naïf Mahuet : il le barbouille en lui faisant croire qu'il le nettoie, puis, comme celui-ci s'est coincé la main dans un pot il lui déclare que pour se libérer il n'a qu'à donner un coup sur la tête du premier venu et, joignant le geste à la parole, à titre d'exemple, il lui brise un pot sur la tête. Mais c'était ne pas compter sur la réaction du benêt qui, pour montrer qu'il a compris la leçon, s'exécute sur son professeur! Dans la seconde, un riche savetier s'étonne d'entendre son pauvre voisin chanter à longueur de journée; pour lui créer des soucis qui l'empêchent de chanter, il essaie de lui prouver que seul l'argent peut donner le bonheur et qu'il suffit d'en demander à Dieu. Le pauvre, tenté, décide alors de *demander des escus cent... mais sans plus ne moins,* et il se dirige vers l'église où il adresse sa requête à Dieu. Le riche qui s'est caché derrière l'autel, prenant la voix de Dieu, lui propose quatre-vingt-dix-neuf écus en pensant bien se les voir refuser, mais le pauvre savetier revenant sur sa décision, les empoche à la grande fureur de son mystificateur qui sort de sa cachette pour réclamer son bien. Peine perdue : le pauvre savetier refuse d'obtempérer en prétextant que lesdits écus sont un don de Dieu ! Son riche voisin le traîne donc au tribunal après lui avoir prêté une robe neuve pour la circonstance, mais le juge tranche en faveur du pauvre savetier qui garde les écus et la robe !

Le même principe préside à l'amélioration des parades qui portent à la scène une dispute conjugale. On obtient alors des pièces comme la *Farce du cuvier* (A.T.F., I, 4) : Jacquinot est contraint de céder devant sa femme soutenue par sa mère et se voit notifier par écrit sur un *rollet* la liste des besognes ménagères qu'il est de son devoir d'accomplir; mais, alors qu'il exécute la première, aider sa femme à essorer le linge en le tordant, celle-ci fait un faux mouvement et tombe dans le cuvier; elle demande à Jacquinot de l'aider à en sortir, mais celui-ci refuse en prétextant que cette tâche n'est pas mentionnée dans son *rollet* qu'il relit en entier; il accepte néanmoins de tendre la main à sa femme à condition qu'elle reconnaisse qu'il est le maître dans sa maison. Le processus d'amélioration des parades apparaît clairement lorsqu'on compare deux pièces voisines comme la *Farce du savetier qui ne respond que chansons* et la *Farce du savetier Calbain* (A.T.F., II, 33). Dans la première, Sandrin, avec la complicité de son valet Naudin, ne répond que par des chansons à sa femme Claudine lorsqu'elle lui demande une nouvelle robe; celle-ci conte alors ses malheurs à sa voisine Ysabeau et toutes les deux reviennent pour une nouvelle tentative, mais elles se heurtent encore aux chansons de Sandrin et elles doivent repartir en ruminant leur colère. La *Farce du savetier Calbain* reprend très exactement ce schéma en se bornant à remplacer la voisine Ysabeau par un galant, mais dans un second temps on assiste à un retournement de situation : le galant conseille à la femme de Calbain d'enivrer son mari et de lui prendre a bourse pour acheter la robe désirée. C'est ce qu'elle , lorsqu'à son réveil Calbain s'aperçoit du larcin et nne sa femme, celle-ci ne lui répond à son tour que chansons. Les coups même ne la font pas céder : ain qui doit s'avouer puni.

s le retournement est plus laborieux et nécessite d'un tiers plus ou moins louche, *charlatan* ou — types bien connus — qui permet le dénouement eur de l'une ou l'autre des parties. C'est ce qui se uit dans la *Farce du Pont aux asnes* (A.T.F., II, 25) : rès une violente dispute avec sa femme, un mari quitte son logis bien décidé à se venger; il rencontre alors un étrange personnage, *Messire Domine De,* qui, dans un italien macaronique, se présente comme un docteur venu de Calabre pour apprendre aux maris comment venir à bout des femmes rebelles; le malheureux mari fait donc à ce « docteur » le récit de ses déboires et s'entend répéter : « Vade, tenés le pont aux asnes »; suivant ce conseil, il se dirige vers le fameux pont pour y observer un bûcheron aux prises avec un âne rétif, mais dont la résistance est réduite à néant par une volée de coups de bâton : cela suffit pour faire comprendre à notre mari ce qu'a voulu dire le « docteur »; il revient chez lui et, procédant comme le bûcheron, il réduit sans peine sa femme à l'obéissance! C'est le même schéma, amplifié par une réduplication du couple initial, qui sert de canevas à la *Farce de deux jeunes femmes qui coiffèrent leurs maris par le conseil de Maistre Antitus (Recueil de Copenhague)* et à la *Farce des queues troussées* (C, VI) dans laquelle Maître Aliboron — comme le faisait son compère Antitus — enseigne à deux femmes comment venir à bout de leurs maris. Mais on aboutit ainsi à des pièces lourdes et dont l'action n'est guère comique en elle-même, comme la *Farce des femmes qui font refondre leurs maris* (A.T.F., I, 6) qui réalise scéniquement ce qui n'était que conseil dans la farce du *Trocheur de maris (Recueil La Vallière) :* après la double dispute de deux femmes avec leurs vieux maris, celles-ci vont se plaindre à un fondeur de cloches qui leur propose de refondre leurs époux, mais les met en garde contre les suites possibles. Nos deux femmes, qui ne veulent rien entendre, poussent donc leurs

maris à subir cette épreuve dont ils sortent pleins
ardeur juvénile qui leur fait décider d'être dorénava
maîtres en leur logis. Nos deux imprudentes, qu
compris un peu tard leur erreur, ont beau demande
pleurant au « fondeur » de ramener leurs maris à leur
premier, celui-ci refuse.

Les tentatives pour améliorer les parades par
retournement de situation ont dû faire prendre conscienc
aux auteurs de la nécessité et de l'importance dramatique de
l'élément ayant pour fonction de faciliter le retournement [10];
dès lors, c'est sur celui-ci qu'ils allaient porter leur effort, allant jusqu'à concevoir la farce en fonction de lui pour mieux l'intégrer à l'action.

L'exploitation d'un procédé scénique

1. *Le déguisement.* En général tout bon tour — qui peut à lui seul composer une parade — repose sur une *substitution* qui provoque une méprise et par suite crée une situation comique. Or cette substitution offre un caractère particulièrement scénique — et conforme à l'aspect parodique de la fête populaire — lorsqu'elle consiste en un déguisement, lequel permet par ailleurs, qu'il soit la source d'une méprise réelle ou feinte, de multiples possibilités de retournement. Peut-être est-ce la raison pour laquelle les auteurs de farces l'ont aussi abondamment utilisée, notamment sous la forme du personnage du faux confesseur, comme dans la *Farce du pourpoint retrechy.* Mais ce qui n'était ici qu'un simple procédé fonctionnel destiné à rendre possible un retournement, va devenir le sujet principal de nombreuses pièces dont il détermine l'intrigue, particulièrement de celles qui illustrent les effets de la jalousie chez un couple. La fausse confession, déjà exploitée par les fabliaux (*Du chevalier qui fist sa femme confesse,* éd. Barbazan et Méon, *Fabliaux et contes des poètes françois,*

10. Que cet élément soit un personnage — et les auteurs n'ont pas manqué de songer aux possibilités qu'offrait le personnage de l'amant pour dénouer la dispute conjugale à son profit ou à son détriment, comme dans la *Farce d'une femme a qui son voysin baille ung clistoire* (C, XXVIII) — ou un procédé proprement scénique comme celui du déguisement, moteur facile du bon tour.

t. III, pièce 31) devint ainsi un des thèmes de choix de la farce. Le meilleur exemple en est sans conteste la *Farce de celuy qui se confesse a sa voysine* (C, II) : la pièce s'ouvre sur une dispute conjugale suscitée par une femme jalouse qui prend pour argent comptant la chanson que chantonne son mari : « Maulgré jalousie, je vous serviray, ma Dame et m'amye, tant que je vivray ». La jalouse, voulant connaître le nom de sa rivale supposée, prend conseil de sa voisine qui lui suggère de faire croire à son époux qu'il est à l'article de la mort et qu'il doit faire appel à un confesseur dont elle propose de tenir le rôle. Tout se passe comme prévu, car le mari, pour avoir la paix, accepte d'en passer par les lubies de sa femme. La voisine arrive donc, déguisée en prêtre, mais le mari qui, bien qu'il ne la reconnaisse pas, pressent un subterfuge, décide de se débarrasser de l'intrus en feignant la naïveté et l'ignorance des pratiques de la foi. Le faux prêtre est donc contraint de demander à son pénitent de répéter après lui toutes les paroles rituelles qu'il prononcera, ce que celui-ci accomplit à la lettre, même lorsque le faux prêtre, qui voit que l'on se moque de lui, laisse éclater sa colère. Le mari croit donc avoir gagné la partie, mais le faux prêtre, qui était sur le point de renoncer, se ravise et revient à la charge. Pour en finir, le mari, lassé, avoue sous le sceau du secret — vérité arrachée à la lassitude ou invention destinée à faire cesser le jeu et à se venger — que sa maîtresse n'est autre que... la fille de la voisine ! C'en est trop pour le faux prêtre qui, avec la femme trompée, décide de se venger : il demande alors au mari confiant et qui pense être arrivé au terme de l'épreuve, de se dénuder pour faire pénitence... et lui administre une solide volée de coups de bâton ! Le mari, qui reconnaît alors à sa grande stupeur sa voisine dans le faux prêtre qui a laissé tomber son déguisement, ne peut que se maudire lui-même de l'erreur qu'il a commise en voulant abuser son confesseur en jupon ! L'auteur a ici utilisé toutes les possibilités qu'offrait le procédé — méprise feinte et méprise réelle —, ce qui lui permet de faire punir tous ceux qui croyaient prendre : femme, voisine et... mari ! Bel exemple de triple retournement.

C'est le même schéma, mais inversé, que reprend

André de la Vigne dans sa *Farce du Munyer* (dont le second temps n'est que la reprise du fabliau de Rutebeuf *le Pet au vilain*), où l'on assiste à une « contre-confession », puisque le véritable confesseur se déguise : le meunier, malade, est sur le point de mourir; sa femme en profite pour appeler le curé qui est son amant et avec lequel elle se laisser aller à des gestes équivoques devant le moribond. Comme ce dernier proteste, son épouse, pour le calmer, essaie de lui faire croire que l'arrivant n'est autre que son cousin venu l'assister dans ses derniers instants et, pour parfaire la tromperie, le curé revêt une tenue « civile ». Mais le mari, qui est loin d'être dupe, feint d'entrer dans le jeu pour glisser dans l'oreille du « cousin » ses griefs à l'encontre du curé qu'il accuse de le faire cocu et ce dernier ne peut qu'acquiescer.

Mais le déguisement, procédé scénique s'il en est, lié à l'origine au thème parodique de la fausse confession, va peu à peu être employé en dehors de ce thème : il devient un simple subterfuge utilisé par un jaloux pour avoir la preuve de son infortune, comme dans la *Farce d'ung mari jaloux* (A.T.F., I, 9). Celle-ci débute par la présentation du tiers sur lequel repose le retournement, un badin vantard que sa tante essaie de ramener à une juste notion de la réalité et qui, ayant décidé de gagner sa vie en prenant sa dîme sur tous les cocus, suggère à un mari jaloux qui lui demande conseil d'aller à Paris acheter un *garde-culz* pour sa femme, qu'il s'offre à surveiller pendant son absence. Le jaloux décide de suivre le conseil et recommande au badin de ne pas épargner le chapelain, qu'il rend responsable de son infortune, s'il le voit rôder près de la maison. Mais en cours de route, il rencontre la tante du badin qui lui recommande plutôt de se déguiser en curé pour mettre sa femme à l'épreuve. Ravi, il s'empresse d'obtempérer et revient chez lui pour recevoir une volée du badin, qui le prend pour le vrai chapelain, et de sa femme qui, l'ayant reconnu, en profite pour se venger : cocu, il est battu et content! C'est là en fait une adaptation à la scène du fabliau *De la borgoise d'Orliens* (Barbazan et Méon, t. III, pièce 22). Le déguisement devient ainsi la péripétie fondamentale de l'intrigue des farces qui doivent leur inspiration aux fabliaux *à triangle,* selon l'expression de P. Nykrog : il est alors le plus souvent le moyen utilisé par la femme infidèle et son amant pour abuser un mari jaloux et leur permettre de satisfaire en toute quiétude leur coupable passion. Dans la *Farce du savetier Audin* (A.T.F., II, 32) dont la *Farce de Martin de Cambray* (C, XLI) est une reprise, un mari jaloux, qui doit partir vaquer à ses affaires, enferme à double tour son épouse dont il suspecte la fidélité. Pendant son absence, l'amant — qui en l'occurrence est le curé — vient rôder près de la maison pour parler à sa maîtresse qui lui suggère de se déguiser en diable et d'attendre à proximité le retour du jaloux qu'elle insultera à travers la porte : comme celui-ci ne manquera pas de répliquer par son éternel « que le diable t'emporte », il ne restera plus à l'amant-diable qu'à réaliser ce souhait. Evidemment le plan réussit pleinement! Dans la seconde pièce, l'amant-curé-diable, après avoir poussé le cynisme jusqu'à consoler le mari trompé en lui promettant son appui, utilise le même subterfuge pour ramener l'épouse infidèle à son foyer. Et celle-ci en profite pour arracher à son époux tremblant la promesse de ne plus l'enfermer, en lui dépeignant les tourments que les diables font subir aux jaloux dans l'Enfer dont elle revient!

La *Farce de Janot, Janette, l'amoureux, le fol et le sot (Recueil Aebischer)* utilise un schéma identique : à Janot qui lui reproche de passer son temps à l'église pour y rencontrer ses amants, Janette réplique qu'elle ne fait qu'y prier assidûment pour qu'il devienne un saint et, comme pour lui donner raison, l'amoureux déguisé en ange entre, en déclarant qu'il vient chercher le naïf pour l'emmener au Ciel dans un sac. Janot tout joyeux accepte d'entrer dans le sac, mais c'est pour être traîné rudement à terre, molesté et saupoudré de farine, traitement qui finit par lui ouvrir les yeux! C'est vraisemblablement une telle utilisation du déguisement qui a conduit à la découverte du thème comique de la *persuasion absurde* qui, acquérant son indépendance, fera le fond de quelques pièces dont la *Farce de Georges le veau* (A.T.F., I, 22) : après une traditionnelle dispute conjugale, une femme infidèle, qui désire se débarrasser de son mari, est aidée dans sa tâche par son amant, le curé, auquel le mari bafoué, Georges, s'est adressé pour connaître sa généalogie; le curé conseille à son clerc de se cacher derrière l'autel et de contrefaire la voix de Dieu pour répondre à Georges qu'il doit croire aveuglément sa femme : le benêt tombe dans le piège et, à son retour au logis, sa femme n'a aucune peine à le convaincre qu'il est devenu un veau; elle peut ainsi appeler le curé pour exorciser le démon responsable du miracle : il ne reste plus au curé qu'à ordonner à son clerc d'emmener, à titre de dîme, le malheureux benêt, qui suit à quatre pattes laissant ainsi le champ libre aux deux amants.

Bien entendu, les auteurs ont essayé de décupler le comique inhérent aux situations créées par le déguisement en le redoublant en cascade, ce qui conduit parfois à des quiproquos plaisants. Dans la *Farce du savetier, du moine, de la femme et du portier* (L, V), l'utilisation répétée du déguisement est dirigée contre la même personne et le rire naît de l'impuissance de celle-ci à se venger : un joyeux savetier qui a rencontré un moine de ses amis l'entraîne à la taverne où il lui confie qu'il a épousé la femme la plus tendre et la plus amoureuse qui soit. Le moine demande au savetier la permission de mettre à l'épreuve ce parangon des vertus conjugales et, pour lui permettre de réaliser cette expérience, le savetier lui suggère d'échanger leurs vêtements. Or, à cet instant l'épouse du savetier, en quête de son ivrogne de mari, pénètre dans la taverne, et croyant reconnaître le coupable, bondit sur lui et inflige une sévère correction au malheureux moine, à la grande joie du savetier. Mais la victime, renforcée dans son intention première par le désir de se venger du savetier, ordonne à celui-ci de contraindre sa femme à venir se confesser pour réparer ainsi le crime commis. Le savetier, qui n'est pas dupe des intentions de son compère, se plie à son désir et lui envoie sa femme après l'avoir mise au courant et lui avoir fait toutes les recommandations utiles. De fait, le moine refuse de donner l'absolution à sa pénitente avant d'avoir consulté un traité de droit qui se trouve dans sa cellule et il l'invite à venir l'y retrouver la nuit tombée. Et pendant que le moine met le portier du couvent au courant de la situation, l'épouse éplorée raconte l'entrevue à son mari qui décide de prendre ses vêtements pour se rendre à sa place au couvent. La nuit tombée, le savetier déguisé se présente donc à la porte du couvent où il se heurte à un portier empressé et concupiscent qui ne réussit qu'à se faire bousculer rudement; il pénètre ensuite dans la cellule du moine et répond à ses avances par une volée de coups de bâton puis, en ressortant, il inflige la même correction au portier qui était revenu à la charge.

Mais le déguisement n'atteint sa pleine valeur comique que lorsqu'il est utilisé pour créer une succession de quiproquos en circuit fermé comme dans la *Farce des trois amoureux de la croix* (C, VIII). Trois amoureux, Gautier, Guillaume et Martin qui, sans le savoir, courtisent la même maîtresse, obtiennent d'elle un rendez-vous pour le soir en échange de quelque argent. Mais la rusée exige d'eux qu'ils se déguisent, le premier en prêtre, le second en mort et le troisième en diable, et les convoque à une heure d'intervalle en pleine nuit au pied de la même croix! On se doute du dénouement : nos amants qui arrivent successivement, s'effraient mutuellement jusqu'au moment où, quittant leur masque, ils s'aperçoivent qu'ils ont été bernés [11].

Ainsi la recherche d'un schéma d'intrigue fondée sur le retournement de situation conduit-elle les auteurs à mettre au point et à privilégier un procédé qui devient peu à peu le moteur unique de l'élaboration de nombreuses farces. Mais il n'était pas le seul.

2. *La cachette.* Fréquent dans les fabliaux et dans les monologues d'amoureux, le motif ou procédé de la cachette est peu utilisé dans la farce. Son comique reposait essentiellement sur l'effet de *boule de neige :* l'amant contraint de disparaître par suite du retour du mari passait en effet d'une cachette dans une autre plus inconfortable encore. La représentation scénique limite matériellement les possibilités du procédé et nous ne trouvons guère que des mises en sac : *Farce de Janot, Janette, l'amoureux, le fol et le sot; Farce de Cautelleux, Barat et le vilain; Farce de Resjouy d'amours* (C, XVIII). D'ailleurs cette dernière pièce montre bien les limites du procédé qui n'est guère ici qu'accessoire, le

11. L'idée des rendez-vous successifs vient sans doute des fabliaux, comme celui de *Constant Duhamel.*

comique reposant surtout sur une méprise, qui témoigne de la distraction fondamentale du personnage principal : Resjouy d'amours, dont les désirs ont été éveillés par les louanges que son compagnon Gautier fait de sa femme Tendrecte, rencontre celle-ci sans savoir qui elle est; il obtient d'elle un rendez-vous dont il s'empresse de faire part à son ami : aussi est-il à peine arrivé à son rendez-vous que Gautier survient et il n'a que le temps de se cacher dans le sac aux lettres en attendant que Tendrecte réussisse à le faire fuir. Ce n'est guère là qu'une difficile adaptation à la scène d'un monologue d'amoureux. D'autres pièces utilisent aussi le procédé comique de la cachette : un coffre dans la *Farce de Frère Guillebert* (A.T.F., I, 18), le *retrait* dans la farce du même nom. Mais ce n'est pas le procédé qui a déterminé l'élaboration de la pièce. La seule qui ait tenté la gageure est sans doute la *Farce du poulier* (L, V) : une femme infidèle, après avoir envoyé son mari acheter des porcs, reçoit son amant. Mais, surpris par la pluie, le mari revient et l'amant n'a que le temps de se dissimuler sous une couverture. Le mari, intrigué par la forme de la couverture et torturé par la jalousie, veut la déplacer, mais sa femme l'en dissuade et il repart. L'amant et l'épouse infidèle peuvent alors s'attabler, mais le mari, qui a oublié une corde, revient à nouveau, contraignant l'amant à bondir dans le poulier (sorte de réduit sous les combles et donnant sur la salle commune). Le mari reste près de la porte et la femme court chercher la corde demandée mais, lorsqu'elle revient, son époux refuse de partir et, étranglé de fureur, il ne peut que répéter inlassablement « jamais! » en désignant d'un doigt vengeur l'amant qu'il vient d'apercevoir. Ce dernier descend de sa cachette et l'épouse infidèle essaie de convaincre son mari qu'il n'est qu'un malheureux fuyard qu'elle avait dissimulé là pour lui permettre d'échapper à ses poursuivants (thème de fabliau). Mais le mari ne veut rien entendre et son épouse, changeant de tactique, a beau faire appel à une voisine qui lui explique que l'amant est en fait son cousin, il reste toujours aussi buté. Pour le faire céder, les deux femmes n'ont d'autre solution que de le rouer de coups! Une telle pièce montre bien les difficultés d'emploi du procédé : la limitation du nombre des cachettes possibles contraint l'auteur à recourir à des expédients pour dénouer l'intrigue. Néanmoins elle a peut-être permis de déceler le pouvoir comique de la répétition du retour du mari, nécessaire ici pour justifier le changement de cachette dans un lieu restreint[12]. La contrainte qui résulte de la mise en scène va ainsi pousser les auteurs à déplacer le centre d'intérêt comique et à faire porter leurs efforts sur la cause et non sur l'effet, c'est-à-dire sur les retours répétés du mari qui présentent un caractère éminemment plus dramatique.

3. *Les retours répétés du mari.* Utiliser le procédé des retours répétés du mari en renonçant à celui de la cachette conduit à modifier la nature des rapports entre les personnages et à faire porter l'intérêt sur la manière dont l'épouse infidèle et son amant essaient de se débarrasser d'un mari craintif mais non dupe. Le rire repose alors sur un comique de répétition et de ressort. Il est possible que l'étape première du procédé ait consisté en des *départs retardés* comme dans la *Farce du pasté* (C, XIX) : la pièce commence sur un soliloque du mari trompé qui essaie sans succès de résoudre le difficile problème de savoir s'il doit ou non battre sa femme pour la punir; ses réflexions sont interrompues par l'arrivée de l'épouse qui apporte un pâté qu'elle prétend avoir fait avec la participation financière de sa voisine et du curé, ce qui justifie l'ordre qu'elle donne à son époux d'aller inviter le curé à dîner. Le mari, qui n'est pas dupe — et laisse percer ses sentiments dans des apartés destinés au public et qu'il rectifie à l'intention de son épouse — met une mauvaise volonté évidente à obéir; sa femme a beau lui renouveler l'ordre, chaque fois il trouve quelque chose à faire pour retarder son départ : ranger sa robe, mettre le couvert, apporter la chandelle, surveiller la cuisson du pâté, etc. A bout d'arguments, il doit néanmoins céder, et va inviter le curé qui, après s'être fait prier pour la forme, le suit. A peine est-il de retour avec son « invité » que son épouse l'envoie chercher de l'eau dans un cuvier fendu. Il a beau se

---

12. Le retour répété du mari remplace ici les événements extérieurs à la situation initiale qui, dans le monologue d'amoureux ou le fabliau, contraignaient l'amant à fuir d'un lieu à l'autre : la contraction de l'action et des lieux conduisent à l'élaboration du procédé.

plaindre, la perverse se contente de lui reprocher hypocritement sa lenteur pendant que le curé lui donne une bougie pour *estouper* son cuvier. Le pauvre cocu, qui n'ose se rebeller, doit en maugréant « chauffer la cire » pendant que les deux amants dégustent le pâté. Ceux-ci poussent même la plaisanterie, après s'être repus, jusqu'à se raconter des histoires de cocus et à s'étonner que Jehan n'ait pas encore mangé et, comme ce dernier se met en colère, ils le battent.

L'idée est reprise et améliorée dans la *Farce de Pernet qui va au vin* (A.T.F., I, 12) : sa femme vient juste de recevoir son amant, lorsque le soupçonneux Pernet fait irruption dans la maison; elle essaie alors de le convaincre que l'amant n'est autre qu'un lointain cousin à lui, gentilhomme, qui peut l'anoblir s'il se montre compréhensif. Pernet n'est pas dupe, mais par crainte de représailles de sa vindicative épouse, il s'incline non sans laisser percer sa mauvaise humeur dans des apartés. Le « cousin » joue alors son rôle et envoie Pernet chercher du vin pour fêter sa visite. Mais Pernet, par six fois, revient comme s'il avait oublié quelque chose, afin d'interrompre les réjouissances des amants. Finalement, il doit quand même aller chercher le vin demandé et, à son retour, on l'envoie *chauffer la cire* — expression qu'éclaire le dénouement de la pièce précédente. Ces retours répétés, variante gestuelle et scénique du procédé de la répétition, que Bergson illustre par l'image du ressort comprimé, vont devenir, grâce au comique inhérent à leur aspect mécanique, un procédé de choix qui servira de base à l'élaboration de nombreuses farces « à triangle ». Cependant le désir de présenter des intrigues plus touffues va pousser les auteurs à tenter d'adapter à la scène de nombreux fabliaux [13] avec toute leur complexité narrative.

Farces d'adaptation et complexité dramatique

1. *Utilisation extensive du fabliau et de la nouvelle.* Bon nombre de pièces ne sont en effet que l'adaptation en totalité

13. Ou de leurs remoutures telles qu'elles apparaissent dans les *Cent Nouvelles nouvelles.*

ou en partie d'un fabliau ou d'une nouvelle. La *Farce du Cousturier et Esopet* (A.T.F., II, 34) est la reprise exacte du fabliau *Du tailleor le roi et de son sergant* dans son déroulement complexe, et la *Farce de Lucas sergent boiteux et borgne* (L, V) est dans sa seconde partie une adaptation du fabliau *De la male femme.* La première se compose de séquences successives qui correspondent aux différents points du fabliau : on assiste d'abord à un dialogue entre le couturier et son valet, le premier se plaignant de ne pas avoir de travail et le second reprochant à son maître de ne pas le payer et de le faire trop souvent jeûner. Dans une seconde séquence, un gentilhomme fait don à sa chambrière d'une pièce de drap pour qu'elle se fasse tailler une robe. Celle-ci vient donc trouver le couturier pour faire prendre ses mesures et, afin d'être mieux servie, elle fait présent à ce dernier d'une perdrix et d'une aile de poulet en lui recommandant de les partager avec son apprenti Esopet. Mais le couturier lui répond qu'Esopet n'aime que le pain et l'eau et qu'il est même inutile qu'elle lui présente une quelconque venaison lorsqu'il ira lui porter sa robe. Or, sur le chemin du retour, la chambrière rencontre Esopet et lui rapporte les paroles de son maître : furieux, il décide de se venger et, lorsqu'il vient convier la chambrière et le gentilhomme au premier essayage, il leur rapporte sous le sceau du secret que le couturier est parfois sujet à des crises de folie subites dont on ne peut le guérir qu'en le battant violemment. Et il ajoute que lorsque ces crises s'annoncent, son maître se met à tourner la tête de tous côtés et à tambouriner sur la table. Après quoi, Esopet revient chez son maître et cache les ciseaux de celui-ci. Le jour de l'essayage ce qu'avait prévu Esopet se réalise : ne trouvant pas ses ciseaux, le couturier se met à regarder de tous côtés et à tambouriner sur la table, et le gentilhomme et la chambrière, pensant assister au début d'une crise, se jettent sur lui et le rouent de coups. Finalement tout s'éclaire et Esopet rappelle à son maître l'histoire de la perdrix.

Même respect d'une intrigue complexe dans la *Farce de Frère Guillebert* (A.T.F., I, 28) qui reprend le fabliau *Des braies au cordelier* (Barbazan et Méon, t. III, pièce 23). Elle débute sur un sermon de Frère Guillebert, qui est une incitation à la débauche, et auquel répondent les plaintes qu'adresse à sa commère une femme mariée à un vieil époux impuissant. Frère Guillebert, qui a entendu les propos de l'épouse éplorée, lui propose ses services et ils conviennent d'un rendez-vous pour le lendemain. A l'heure dite, l'épouse infidèle envoie son mari au marché et Frère Guillebert peut venir se glisser dans le lit encore chaud. Mais le mari, qui a oublié son bissac, revient sur ses pas, ce qui contraint Guillebert à disparaître dans le coffre aux hardes où il se met à trembler de peur d'être découvert et émasculé. L'épouse sauve la situation en tendant à son mari ce qu'elle croit être le fameux bissac, et qui n'est autre que les chausses de Guillebert, que le mari, sans prêter attention, jette sur son dos avant de repartir. Guillebert sort alors de son coffre, mais c'est pour s'apercevoir, avec sa maîtresse, de l'erreur qui a été commise : tous les deux, affolés, courent demander conseil et assistance à la voisine. Pendant ce temps, le mari qui a découvert la bévue de sa femme, rebrousse chemin bien décidé à se venger; mais, en arrivant chez lui il se heurte à la voisine qui lui explique que ce que son épouse a confondu avec le bissac n'est autre que les « braies de saint François », précieuse relique qui permet à toute femme qui s'en frotte sept fois de pouvoir être enceinte. Le benêt confus s'excuse alors auprès de sa femme d'avoir douté d'elle et il porte les braies à Guillebert qui les lui fait embrasser en lui donnant sa bénédiction! La farce améliore même le fabliau, car à la différence de celui-ci, le mari y rapporte les braies à celui-là même qui l'a trompé.

Il en est de même dans de nombreuses farces « à triangle », comme la *Farce de deux gentilshommes, le meunier, la meunière et les deux demoyselles* (L, V) qui s'inspire du fabliau de *Constant Duhamel* et se présente sous la forme d'une succession de séquences ou de tableaux. Elle s'ouvre sur la rencontre de deux gentilshommes qui s'accusent réciproquement de courtiser la meunière et se mettent en garde contre le « qu'en dira-t-on? ». Dans la séquence suivante, le meunier avoue à sa femme que ses affaires vont mal, car il ne peut recouvrer ses créances sans faire un procès qu'il ne peut payer. La meunière lui suggère alors de soutirer de l'argent aux deux gentilshommes qui lui font la cour : elle leur accordera un rendez-vous et le meunier n'aura qu'à intervenir pour les surprendre en flagrant délit d'adultère, ce qui devrait les inciter à la générosité par peur du scandale. Ils règlent alors les derniers détails du plan et, peu de temps après, survient le premier gentilhomme. La meunière commence par repousser ses avances, puis lui laisse entendre qu'elle céderait s'il voulait consentir un prêt à son mari. Le galant avance alors cent écus au mari en lui conseillant de partir sur le champ règler son procès et s'éloigne après avoir obtenu un rendez-vous pour cinq heures. La même scène se reproduit avec le second gentilhomme qui se voit convier pour six heures. A cinq heures, le premier gentilhomme arrive; le meunier se cache et l'arrivant s'attable avec la meunière tout joyeux à la pensée de pouvoir bientôt satisfaire sa passion, mais une heure plus tard le second gentilhomme frappe à la porte et la meunière, feignant de croire à un retour imprévu de son mari, pousse son premier galant dans le poulier : de là il peut se rendre compte qu'il a été joué mais il doit se borner à maugréer en silence — cependant que, toujours caché dans son coin, le meunier commente la scène de réflexions égrillardes. Comme on pouvait s'y attendre, le second galant est à peine attablé que le meunier, feignant la colère, fait irruption dans la pièce : notre galant n'a donc d'autre ressource que de rejoindre son confrère dans le poulier. Le meunier peut alors s'asseoir à table et dîner copieusement. Après quoi, il fait venir l'une après l'autre les dames des deux galants et abuse d'elles sous les yeux de leurs maris furieux, mais contraints au silence. De plus, l'un des deux gentilshommes ayant malencontreusement fait du bruit, le meunier s'arme et se dirige vers le poulier où il fait mine de vouloir égorger les deux galants tremblants qui demandent grâce à celui qu'ils croyaient duper et lui font cadeau de l'argent prêté pour pouvoir repartir l'oreille basse. Telle est cette pièce touffue, qui présente bien souvent un caractère plus narratif que dramatique et où les personnages ne sont guère que de simples silhouettes. L'auteur n'a pas su se dégager suffisamment du schéma complexe que lui offrait le fabliau qui avait servi de modèle. D'autres pourtant allaient remédier à cet alourdissement résultant d'un mode d'élaboration qui était transposition pure du narratif, par une épuration de l'intrigue destinée à lui donner un caractère plus scénique.

2. *Épuration des trames narratives.* C'est le même thème que nous présente la *Farce nouvelle du gentilhomme et de Naudet* (A.T.F., I, 15), mais le nombre des personnages se réduit à quatre — deux couples antagonistes — et chacun d'eux a un rôle indépendant et nécessaire dans une intrigue dont l'élaboration — si l'on en juge par la structure — a été mûrement réfléchie : rien n'y est inutile ni laissé au hasard. L'entrée en matière *in medias res* — selon l'expression de B. C. Bowen — nous présente les données nécessaires de manière concise mais suffisante : Naudet déclare à sa femme Lison qu'il la soupçonne de céder aux avances du seigneur du lieu, ce qu'elle réfute d'un air offusqué en lui enjoignant de se taire s'il ne veut pas se retrouver dans la geôle seigneuriale. Comme pour donner raison au malheureux mari, arrive alors le gentilhomme qui cherche visiblement à éloigner Naudet en l'envoyant promener son cheval. Celui-ci, qui n'est pas dupe, revient bientôt pour se voir ordonner d'aller chercher du vin. La rage au cœur, et malgré deux retours répétés, Naudet ne peut se dispenser d'obéir, mais il décide de se venger selon ses moyens. Il commence par jouer au niais, après s'être largement servi au pot qu'il rapporte : lorsque le seigneur lui ordonne de mettre le vin au frais *dedens ung plain seau d'eaue,* c'est le contenu de sa cruche qu'il vide dans l'eau. Puis, comme le seigneur en colère lui déclare qu'il va l'envoyer porter un message, il prend la porte sans plus attendre ce qui contraint son noble visiteur à le rappeler pour lui confier une lettre pour sa femme. Le gentilhomme et Lison se croient alors débarrassés du gêneur; mais Naudet, qui n'a fait qu'un simulacre de départ, revient constater son infortune au trou de la serrure et, pour se venger, il subtilise la robe de son rival avant de reprendre la route pour porter sa missive au château. Arrivé devant la dame, Naudet, feignant la balourdise, laisse échapper comme par mégarde que celui qui l'a envoyé est en train de jouer avec sa femme Lison. La dame, vexée mais curieuse, demande à Naudet des précisions sur ce que fait son mari, à quoi le rusé vilain répond : « j'ayme beaucoup mieulx vous le faire trois fois que

vous en dire ung mot». On se doute que la curiosité l'emporte! Pendant ce temps, dans la maison de Naudet, le gentilhomme, qui a satisfait ses ardeurs amoureuses, cherche vainement sa robe et décide de revenir en toute hâte au château où la dame est en train de féliciter Naudet pour la précision de ses explication : « Pleüst a Dieu que tu fusses Monsieur et que Monsieur devint Naudet! » — ce que le rusé compère n'oubliera pas. Lorsque le seigneur arrive chez lui tout penaud, il est reçu fraîchement par son épouse qui lui demande les raisons de sa tenue et, pendant qu'il s'embrouille dans ses explications, Naudet feint de révéler qu'il était dans le lit de Lison, permettant ainsi à la dame de jouer la prude offensée et d'accabler son noble époux de reproches : « Meschant, suis je point assez belle pour vous? ». C'est là d'ailleurs une balle que le rusé Naudet, décidé à se venger jusqu'au bout, saisit au bond : il enchérit sur les paroles de la dame en comparant, à l'adresse du seigneur qui peut ainsi mesurer son infortune, l'anatomie intime des deux femmes, et poursuit en déclarant qu'il laisse à son rival la priorité du choix, car lui-même apprécie autant l'une que l'autre. Le seigneur ne peut alors que faire son « mea culpa » en jurant de ne plus désormais quitter sa maison, laissant à Naudet le soin de conclure :

> Gardez donc vostre seigneurie
> Et Naudet sa naudeterie;
> Se tenez Lison ma fumelle
> Naudet tiendra ma demoyselle.
> Ne venez plus naudetiser,
> Je n'iray plus seigneuriser!

Ainsi le cercle est bouclé, mais ici rien de comparable à la lourde *Farce des deux gentilshommes :* toute la pièce est une illustration comique de la loi du talion et, comme telle, se déroule en deux temps symétriques qui mettent en valeur le retournement conduisant au rétablissement de la situation initiale. D'autre part, ce retournement est le fait d'un seul personnage; ce n'est pas, comme dans la pièce précédente, le résultat d'un piège prémédité par deux complices, mais une vengeance qui se construit progressivement. De là, la nécessité de douer le personnage principal, Naudet, d'une certaine psychologie : il n'est plus un type mais un individu pensant, qui demande à sa ruse de lui faire entrevoir une solution à ses problèmes. Cela suffit à justifier ses actes et à rendre plus vraisemblables en les douant de vie les utilisations de procédés traditionnels comme celui de la balourdise systématique. La même remarque pourrait s'appliquer au procédé des retours répétés : à la différence de la *Farce de Pernet qui va au vin,* les multiples départs — qui se soldent par des retours répétés — sont ici justifiés par des ordres différents, nécessaires pour que le rusé Naudet ne puisse refuser d'obtempérer. De la même manière l'infidélité de la dame s'explique par son désir de savoir jusqu'où va son infortune; nous n'assistons pas à un viol vengeur comme dans la *Farce des deux gentilshommes.*

L'art de l'auteur se manifeste donc ici par la manière dont il a su épurer une trame traditionnelle pour aboutir à une intrigue équilibrée — dont le déroulement non prévisible permet, après la punition des coupables, un retour moralisateur à la situation initiale — et dont il a su faire reposer des procédés traditionnels sur une justification psychologique. C'est là une œuvre de dramaturge conscient de la spécificité et des obligations du genre : ce n'est pas une simple mise en scène d'une donnée narrative mais une véritable *adaptation* scénique. Malheureusement de tels efforts sont encore rares dans le théâtre comique médiéval et la plupart des auteurs ont trop souvent tendance à adopter un mode d'élaboration inverse qui consiste à créer une intrigue de farce par simple juxtaposition de tous les procédés connus.

3. *Élaboration de trames complexes par juxtaposition de procédés.* Pour mieux mettre en valeur cette technique d'élaboration, nous nous bornerons à analyser deux pièces qui illustrent le même thème — et selon une trame identique — que les précédentes : la *Farce du retraict* (L, V) et la *Farce du badin qui se loue* (A.T.F., I, 11).

La première de ces deux pièces que l'on s'accorde à dater des environs de 1500 — et donc contemporaine de la *Farce de Naudet* — n'est qu'un pot-pourri des données et procédés traditionnels propres au thème de l'infidélité conjugale. Une femme qui s'apprête à recevoir son amant, demande à son valet Guillot de faire le guet pour la prévenir d'un retour éventuel de son mari, mais, maladroitement, elle le blesse en le traitant de lourdaud, ce qui fait naître chez lui un désir de vengeance : il commence par exiger des excuses, puis l'octroi d'un bonnet pour accéder au désir de sa maîtresse. De plus, lorsque l'amant arrive, Guillot refuse de le laisser entrer avant d'avoir obtenu un écu. Néanmoins les deux amants peuvent quand même se livrer à leurs ébats que Guillot commente en les observant à travers le trou de la serrure. Mais lorsqu'ils se mettent à table devant une perdrix apportée par le galant, Guillot exige sa part. C'est alors qu'arrive le mari. Guillot le fait patienter pendant que l'épouse infidèle pousse son amant dans le *retraict.* Quand le mari a enfin réussi à entrer, Guillot prend part à la conversation pour laisser entendre, à mots couverts, que l'amant n'est pas loin, au grand émoi de la dame qui, pour le faire taire, lui promet tout ce qu'il demande. Le mari agacé veut alors se mettre à table et Guillot en profite pour demander de l'argent afin d'aller acheter... la perdrix apportée par l'amant. Or pendant ce temps, le pauvre amant dans sa cachette ne peut s'empêcher de tousser : le bruit étonne le mari et amène la femme à conseiller à son galant de disparaître entièrement... dans le trou du *retraict.* Mais, comble de malchance, le mari, pris de coliques subites, se dirige vers le *retraict* suivi de Guillot. Le pauvre amant n'a alors d'autre solution que de bondir hors du trou à la grande surprise du mari qui se met à trembler lorsque Guillot lui déclare que c'est sans doute là le diable des jaloux qui est venu le chercher. Le benêt se dépêche alors de se repentir de ses torts à l'égard de sa femme.

C'est là une pièce dont le déroulement linéaire utilise tous les poncifs du genre : retour imprévu du mari, procédé de la cachette — avec recherche scatologique — punition du mari jaloux, etc. Évidemment, l'auteur donne une version originale du procédé des retours répétés en les transformant en de simples interruptions, justifiées par le caractère de leur auteur qui feint la bêtise pour se venger; il n'en reste pas moins que pour pouvoir intégrer ce procédé aux autres et faire avancer cette intrigue obtenue par juxtaposition de données diverses, l'auteur s'est trouvé dans la nécessité de faire appel à un personnage supplémentaire et extérieur au trio mari-femme-amant. Or ce personnage fonctionnel de liaison devient pratiquement le personnage principal [14] : de là le caractère irréel et caricatural de cette intrigue de marionnettes que dirige un montreur.

D'ailleurs, toutes les pièces composées par simple juxtaposition de procédés connus font appel à ce personnage sur lequel repose l'enchaînement des péripéties, niais feint ou benêt véritable comme dans la *Farce de Messire Jehan* (L, V) — le badin Jacquet est ici un autre « Jehan Jenin fils de rien » mêlé à une intrigue conjugale — ou la *Farce du badin qui se loue,* pièce datée des environs de 1520, qui n'est guère qu'une version seconde du *Retraict* et nous montre que la technique n'avait guère progressé. Au début de la pièce, un mari complaisant accepte, sur la requête de sa femme, de louer les services d'un badin qui passe et que ses propos révèlent comme étant un niais traditionnel de la lignée de Jeninot. Mais, lorsque, le mari parti, l'amant arrive, le nouveau valet le reçoit fraîchement et il faut toute la diplomatie de l'épouse infidèle pour qu'il le laisse entrer, sans toutefois s'éloigner lui-même. Mieux, il prend part à la conversation et, lorsque les gestes de l'amant deviennent équivoques, il menace de tout dévoiler à son maître, à la grande fureur de sa maîtresse qui veut le battre. L'amant réussit néanmoins à obtenir son silence en échange de la promesse d'un bonnet et il l'envoie acheter un pâté. Mais notre simple d'esprit, parti trop précipitamment, revient par six fois interrompre les ébats des deux amants en demandant des précisions sur la commission dont on l'a chargé. Et, lorsque le mari revient, le benêt n'oublie pas de demander à l'amant qui s'échappe le bonnet promis : c'est évidemment la première chose que remarque le maître de maison et pour laquelle il exige des explications. Le badin, avec une naïveté désarmante, lui avoue alors qu'il le tient d'un homme qui voulait faire un haut-de-chausses à sa maîtresse « car il regardoit que sa brayette

14. Il faut distinguer les *pièces techniques,* dans lesquelles le niais, ou badin, personnage principal, subit les événements et les *pièces d'intrigue,* dans lesquelles il provoque les péripéties : il est alors surtout un personnage de liaison, un moyen.

estoit assez haulte pour elle ». On imagine la fureur du mari bafoué et la correction de l'infidèle.

L'auteur utilise donc ici la même situation initiale, les mêmes données et les mêmes procédés traditionnels que dans la *Farce du Retraict* et il a recours au même personnage de liaison. Pourtant, non seulement il aboutit à un dénouement plus logique — qui a pu lui être inspiré par quelques-unes des *Cent Nouvelles nouvelles* — mais de plus, paradoxalement, les illustrations qu'il donne des procédés traditionnels — et leur enchaînement — sont plus vraisemblables. Cette légère amélioration est due au fait qu'il réussit à déguiser l'aspect fonctionnel de son personnage de liaison qui, niais véritable, n'est plus le meneur de jeu, mais le moteur inconscient de péripéties non prévisibles — ce qui permet aux autres personnages de trouver une certaine individualité dans une intrigue dont ils sont les véritables héros. Juxtaposition de procédés donc, mais souci de cohérence et de justification psychologique des intrigues obtenues par ce mode d'élaboration.

En fait, il semble que les auteurs, soit qu'ils optent pour une adaptation à la scène de pièces narratives complexes, soit qu'ils procèdent par juxtaposition de procédés dramatiques éprouvés, aient ressenti le besoin d'épurer leur trame pour la rendre plus scénique et de faire reposer les péripéties sur la psychologie des personnages : on tend confusément vers la comédie psychologique.

Vers la comédie psychologique

L'idée de s'orienter vers une comédie psychologique n'était pas neuve, puisque dès 1464 un dramaturge inconnu — on a avancé les noms de Villon, Pierre Blanchet et, sans plus d'arguments décisifs, celui de Guillaume Alexis — avait donné la pièce qui en restera, pour le Moyen Age tout au moins, le chef-d'œuvre incontestable : la *Farce de Maistre Pierre Pathelin;* mais ce ne fut là qu'un éclair de génie solitaire et en avance sur son temps. Cette pièce, qui connut seize éditions avant 1550, présente en effet une intrigue qui repose totalement sur la psychologie des personnages en présence. Elle illustre de manière originale, en deux actions complémentaires et par deux fois, le thème du trompeur-trompé : dans la première, Maître Pierre Pathelin, avocat marron, extorque une pièce de drap au marchand Guillaume qui voulait le voler sur le prix, et dans la seconde, notre trompeur se fait à son tour piéger par un simple berger qu'il avait accepté de défendre devant le tribunal contre le même marchand.

La pièce débute par un dialogue entre Pathelin et sa femme Guillemette, dans lequel l'avocat annonce son intention de se vêtir sans bourse délier. Devant le scepticisme de Guillemette, Pathelin part pour le marché où il parvient à obtenir du drapier Guillaume, en l'allêchant par la promesse d'un paiement en or et d'un bon repas, une pièce de drap à crédit. Le filou revient alors vanter son savoir-faire à Guillemette, qu'il met au courant du rôle qu'elle aura à jouer lorsque le drapier viendra réclamer son dû. Effectivement, après avoir laissé éclater sa satisfaction d'avoir berné sur le prix son naïf client, Guillaume se présente à la porte de Pathelin, mais c'est pour se heurter à une Guillemette éplorée et qui feint de ne rien comprendre car elle prétend que son époux est au lit, malade depuis de longues semaines : ce que constate Guillaume auquel Pathelin joue parfaitement la comédie de la maladie. Le drapier repart ahuri et effondré. Pourtant, après de mûres réflexions, il revient à la charge pour se retrouver face à un Pathelin qui, dans la fameuse scène des divers langages, simule une crise de folie. Berné une seconde fois, Guillaume s'incline, cependant que Pathelin et Guillemette laissent éclater leur joie dès qu'il a tourné les talons.

Le second temps de la pièce commence sur une altercation entre le drapier et son berger, Thibaut l'Agnelet, à qui il reproche un vol de brebis et qu'il assigne au tribunal. Tout naturellement, le berger vient demander à l'avocat Pathelin de le défendre et ce dernier, qui ne voit d'autre solution que de plaider l'irresponsabilité de la folie, lui conseille, pour être acquitté, de répondre à toutes les questions du juge par un « bêe » moutonnier. Tout le monde se retrouve au tribunal, à la surprise réciproque de Pathelin et du drapier. Mais si le premier reste maître de lui, il n'en est pas de même du second qui, lamentablement, sous le coup de la colère, mêle les deux affaires — le drap et les brebis — dans l'exposé de ses doléances au juge. Ce qui lui vaut d'être débouté à la grande joie de Thibaut et de son avocat. Pourtant, la joie de ce dernier est de courte durée car, lorsqu'il réclame ses honoraires au berger, celui-ci, qui se souvient de la leçon du tribunal, ne lui répond que par le « bée » qu'on lui a enseigné.

Telle se présente cette comédie de caractères, fort en avance sur son temps car son intrigue repose entièrement sur la psychologie des personnages : nous n'en donnerons pour preuve qu'une courte analyse de la scène de marchandage (v. 98-351). Pathelin, qui arrive avec la ferme intention d'« emprunter » du drap, commence avec une habileté toute professionnelle par tâter son marchand en jouant la bonhomie bourgeoise [15] du client habitué. Lentement, pour faire tomber la méfiance naturelle de son adversaire, pour l'attendrir et pour lui donner le souci de poursuivre une certaine tradition familiale, Pathelin, avec une émotion simulée, feint de trouver à Guillaume une ressemblance parfaite avec un père qui était le modèle des marchands, habile, humain et compréhensif au point de vendre à crédit. Mais Pathelin glisse sur ce dernier point et, après avoir demandé au marchand des nouvelles de sa famille, comme par hasard il arrête un regard admiratif sur une pièce de drap dont, en connaisseur, il apprécie la qualité et dont le marchand lui garantit la provenance artisanale et familiale. Pathelin en profite pour féliciter ce dernier d'être aussi compétent que son père, puis il s'intéresse à une autre pièce de drap, jouant le client de passage attiré malgré lui par la marchandise présentée et laissant entendre à son vendeur, pour l'appâter, qu'il a mis de côté quatre-vingts écus pour rembourser un prêt, mais qu'il ne pourra sans doute pas s'empêcher d'en distraire une vingtaine pour satisfaire son désir aussi imprévu que subit. Comme le drapier s'étonne

---

15. Lorsque Pathelin s'adresse à Guillaume, sa langue est plus truffée d'archaïsmes que lorsqu'il s'adresse à Guillemette : c'est là singer le parler de la classe bourgeoise cultivée pour mieux se faire apprécier du drapier.

de cette insouciance qui suppose une bonne volonté de la part des créanciers de son client, celui-ci le rassure d'un mot et, touchant une autre pièce de drap, simule une envie irrésistible. Dès lors, Guillaume, rassuré sur les liquidités de son client, se déclare avec une feinte bonhomie prêt à satisfaire ses désirs n'eût-il pas même un sou. Pathelin l'en remercie et, pour parfaire son travail de mise en condition du marchand, il n'oublie pas, après avoir demandé le prix du drap, de verser le *denier à Dieu,* acte qui précédait rituellement toute vente et qui achève de le faire passer pour un honnête bourgeois. Guillaume, que ce dernier trait a définitivement convaincu de la candeur naïve de son riche client, n'hésite pas à demander un prix fort. Afin de ne pas éveiller les soupçons du marchand, Pathelin marchande mais sans insister, pour rester dans son rôle de client conquis sans motivation de nécessité. Pour la même raison, il fait mine d'hésiter sur la longueur de drap nécessaire et s'en remet au conseil du marchand qui procède à la mesure; il n'oublie pas non plus, comme il se doit, de reprocher légèrement à Guillaume de tenter de le voler sur la quantité. La première étape du plan de Pathelin est donc réalisée; reste le plus difficile : le règlement du prix. Pathelin, qui continue à jouer le client qui s'est laissé aller à un désir imprévu sans avoir suffisamment d'argent sur lui, propose à Guillaume de venir se faire payer chez lui et de lui faire crédit jusque-là. Cela suffit à rallumer la méfiance du drapier qui fronce les sourcils. Immédiatement, Pathelin ajoute que son débiteur sera payé en or. Mais Guillaume ne se déride pas. Pathelin, changeant de tactique, simule alors l'honnêteté blessée et reproche à Guillaume de refuser ainsi par orgueil l'occasion de se faire offrir à boire par son client. Guillaume qui est partagé entre la méfiance et la peur de perdre une vente intéressante semble hésiter plus mollement. Pathelin lui répète alors qu'il sera payé en or et, de plus, l'invite à déjeuner. Le drapier cède, mais il déclare qu'il portera lui-même le drap, ce contre quoi Pathelin s'insurge en prétendant qu'il refuse de lui laisser prendre cette peine et sans attendre, il glisse la pièce de drap sous sa robe. Guillaume, qui ne veut perdre ni sa vente ni son invitation, se laisse faire à contrecœur, mais il rappelle à son client qu'il exige d'être payé en or dès son arrivée. Pathelin acquiesce en feignant d'être heureux d'avoir réussi à faire venir chez lui celui dont le père — dernier appât lancé — l'honorait de son amitié. Et, sur un dernier « que j'aye or » de Guillaume, notre avocat s'éloigne, laissant échapper en aparté sa ferme intention de ne jamais payer celui qui se félicite d'avoir berné sur le prix un client aussi naïf!

On ne peut nier qu'une telle scène repose essentiellement sur la psychologie des deux personnages qui jouent, pourrait-on dire, un rôle au second degré, Pathelin surtout. Et toute la pièce utilise le même ressort : elle ignore le comique traditionnel des coups, du déguisement, de la cachette et autres techniques habituelles, pour devenir une véritable comédie de caractères qui doit son comique à des personnages bien individualisés et évoluant en milieu réaliste. L'auteur en a eu une claire conscience, puisqu'il joue sur les effets de redoublement, d'écho : la fameuse scène (v. 704-731) où Guillaume, poussé dehors par Guillemette, laisse éclater son incompréhension en passant constamment de la certitude (« si a ») à l'incertitude (« non a ») pour conclure sur un désarroi total (« je n'y voy goute »), scène psychologique par excellence, annonce celle du tribunal (v. 1313-1344) où le drapier, éberlué de retrouver son client, ne sait plus établir la distinction entre le vol des moutons et celui des « six aulnes » de drap, et doit finalement renoncer. Redoublement comique, certes, mais la première scène justifie le comportement du drapier dans la seconde.

Pourtant une telle pièce était en avance sur son temps. Peut-être cela était-il dû à la nature du public [16] auquel elle était destinée, public parisien et cultivé de clercs, sans doute

---

16. Rita Lejeune : *Pour quel public la Farce de Maistre Pierre Pathelin a-t-elle été rédigée?, Romania,* LXXXII. Mme Lejeune met bien en valeur le réalisme local du décor (examen de la situation juridique) de cette pièce dont les allusions, ainsi que la scène des « divers langages », sont destinées à provoquer le rire d'un public estudiantin : les « divers langages » sont en fait les différentes langues des nations d'étudiants que Pathelin utilise pour simuler la folie, pour faire comprendre à Guillemette, à l'insu du drapier, la manière dont elle doit procéder pour le mettre dehors, et pour se moquer de celui-ci de connivence avec les spectateurs. D'autre part, l'importance du jargon juridique et le fait que Pathelin soit un clerc ayant reçu la tonsure incitent à voir dans cette pièce une œuvre de la Basoche — d'autant plus que la présentation vise à ne pas discréditer le monde du Palais auquel appartenait sans doute l'auteur.

basochiens, et d'écoliers. En effet, bien que la figure de l'avocat dupeur soit vite devenue légendaire, au point de rejoindre celle de Villon dans la galerie des farceurs impénitents, bien que l'immense succès rencontré par la pièce ait suscité à son auteur bon nombre d'imitateurs, la *Farce de Maistre Pierre Pathelin* est restée un chef-d'œuvre isolé. Les autres pièces, qui présentent d'autres aventures du même héros, abandonnent le ressort psychologique au profit de tous les thèmes et procédés traditionnels. Le *Testament de Pathelin* (édité par P. L. Jacob : *Recueil de farces, sotties et moralités du XVe siècle,* Paris, Delahays, 1859), vraisemblablement antérieur au *Nouveau Pathelin* daté de 1474, n'est conçu que pour utiliser le genre du *testament* alors en faveur. Cette courte pièce, pleine de réminiscences de Villon, met en scène Pathelin, Guillemette, l'apothicaire et Messire Jehan le curé; elle s'ouvre sur un dialogue dans lequel un Pathelin vieilli demande à une Guillemette acariâtre et autoritaire de lui apporter son sac à « causes perdues » pour qu'il puisse se rendre au tribunal. Mais, en cours de route, il est pris de malaises et doit revenir s'aliter. Pourtant, il refuse de recevoir le médecin et demande à Guillemette « un coup de quelque bon vin vieulx ». Mais le mal s'aggravant, il doit accepter de recevoir l'apothicaire et le prêtre. Lorsque ce dernier arrive, Pathelin est en train de délirer. Le prêtre décide donc de le confesser : utilisation d'un thème traditionnel selon la démarche rituelle. Pathelin qui délire, commence par répondre en dehors des questions qui lui sont adressées, puis il retrouve un peu de lucidité pour s'accuser — avec orgueil — d'avoir jadis trompé le drapier Guillaume, mais il passe sous silence ses démêlés avec le berger Thibaut. Il procède ensuite à son testament (dont les quarante-cinq vers sont presque autant d'emprunts à Villon), demandant à être enterré *dessoubs ung muid de vin de Beaulne,* compose son épitaphe et, avant de rendre son dernier souffle, exige que l'on grave ses armes sur sa tombe : *trois belles grappes de raisin en un champ d'or semé d'azur.* Cette courte pièce, pot-pourri de thèmes traditionnels, ne vaut donc que par le souvenir de l'ancien *Pathelin.* Pas d'intrigue, ni de situations comiques; le rire n'y repose que sur l'exploitation des procédés connus : délire provoquant des quiproquos, images obscènes ou scatologiques, forme du testament parodique.

Nous avons la même impression d'impuissance avec *le Nouveau Pathelin à troys personnages, Pathelin, le pelletier, le prebstre* qui, dans sa première partie, se révèle être un calque parfait de l'ancien. Le drapier Guillaume a ici cédé sa place au pelletier auquel Pathelin veut extorquer quelques peaux. Le déroulement de la scène est identique dans les deux pièces. La seule différence réside dans le fait que le pelletier y est plus nettement présenté comme un voleur et Pathelin comme plus cynique : ne déclare-t-il pas, alors qu'il essaie de mettre son adversaire en condition, « Mais pourtant, se vous m'en croyez, de vostre vie rien n'accroyez se vous ne sçavez bien à qui »? De plus, le déroulement de la scène est plus lent : Pathelin insiste plus lourdement sur ses liens avec le père du marchand — qui d'ailleurs semble plus méfiant que ne l'était le drapier — et il se présente comme devant acheter pour le compte du curé de la paroisse; il marchande plus âprement et avec cynisme : « un trompeur... en offrirait plus largement, mais je en offre justement ce que en veux payer, sur le pec »; en outre, après avoir invité le pelletier à venir se faire payer à l'église, il lui conseille de prendre deux ballots de peaux afin, dit-il, d'allumer la convoitise des voisines et de réaliser une bonne affaire, astuce qui lui permet de convaincre plus facilement sa dupe de lui en laisser porter un. Enfin, c'est côte à côte qu'ils se dirigent vers l'église où, d'après Pathelin, le pelletier sera payé en or et bien reçu avec vins fins et pâté d'anguille par le riche curé qui est un peu son parent. En fait, il semble que l'imitateur de l'ancienne farce n'en ait pas compris toutes les finesses psychologiques et qu'il ait voulu en corriger, dans un souci de logique réaliste, tout ce qui pouvait lui paraître à la limite du vraisemblable. Mais cette invention louable fait perdre à sa pièce ce qui faisait la valeur et l'originalité du modèle, et l'alourdit considérablement. Les caractères redeviennent des types. Impression confirmée dans le second temps de la pièce qui met en scène la situation de l'une des *Repeues franches de Maistre Françoys Villon :* « De la manière d'avoir du poisson ». Dès leur arrivée à l'église, Pathelin s'approche du confessionnal pour dire au curé qu'il lui amène à confesse un pécheur qui est parfois bizarre et a des réactions coléreuses imprévisibles mais qui paie bien. Le curé hésite, mais Pathelin le décide avec la promesse d'un bon repas. Puis notre farceur s'éclipse avec les peaux en prétextant qu'il part préparer la table, cependant que, du confessionnal, le curé calme l'inquiétude du pelletier en lui criant qu'il va le *despescher* sur l'heure. Quand on sait que *despescher* a le double sens de *confesser* et de *régler une affaire,* on imagine facilement la suite : c'est en effet un véritable quiproquo qui va se dérouler entre le curé qui veut confesser le pelletier et celui-ci qui veut être payé. Devant l'incompréhension du curé, le pelletier se croit joué et se fâche, cependant que le digne ecclésiastique, se souvenant des conseils de Pathelin, essaie de le calmer. Le pelletier lui demande alors où est passé son serviteur, à quoi le curé, qui croit à une ruse, répond qu'il n'a pas de serviteur et insiste pour passer à la confession. Mais le faux pénitent l'accuse d'être de connivence avec Pathelin, ce qui le met en colère et déclenche une dispute de chiffonniers ponctuée d'insultes. Finalement le prêtre envoie le pelletier à la taverne où Pathelin l'avait invité; le pelletier y court, en déclarant qu'il reviendra se faire payer s'il n'y trouve pas son débiteur, perspective que le curé s'empresse d'éviter en partant chez sa commère. Ainsi se termine cette farce écrite par un auteur dont le principal souci était la vraisemblance mais qui a fait reposer sa pièce sur l'utilisation des procédés traditionnels, sacrifiant le comique des caractères au comique des gestes et des situations.

En fait, si l'on excepte le chef-d'œuvre sans lendemain que fut le premier *Pathelin,* il faudra, pour aboutir à la véritable comédie d'intrigue reposant sur des caractères individualisés, attendre le milieu du XVIe siècle[17] avec la *Farce de la Cornette* (Éd. Fournier, *le Théâtre français avant la Renaissance, 1450-1550*) de Jehan d'Abundance qui annonce la comédie de la Renaissance avec Jodelle, Grévin,

---

17. Cf. *Comédies du XVIe siècle,* publiées et présentées par E. Balmas, Paris, Nizet, 1967.

Belleau, François d'Amboise et Marc Papillon. Cette farce appartient au groupe des farces conjugales et tire ses effets de l'opposition des éléments du couple : jeune femme sensuelle — vieux mari impuissant. Mais elle consiste à montrer comment la femme adultère procède pour déjouer les attaques dont elle est l'objet du fait d'un tiers, afin de maintenir sa situation initiale : l'intérêt réside donc moins dans l'action que dans le comportement des personnages les uns vis-à-vis des autres, comportement qui se justifie par leur psychologie. Au début de la pièce, une jeune femme s'entretient avec son valet Finet, qui lui sert de messager dans ses affaires de cœur et vient lui rendre compte d'une mission qui lui a été confiée. Cet entretien nous permet d'apprendre que la jeune femme, mariée à un barbon, est poussée par sa nature sensuelle et insatisfaite à l'adultère. Très organisée, elle reçoit les hommages de deux amants, les dons du premier, un chanoine, lui permettant d'entretenir le second, l'amant de cœur, un jeune galant démuni : c'est là une vie intime très mouvementée, mais qui ne présente aucun risque dans la mesure où, d'une part, son état de femme mariée lui est une excellente couverture à toute conséquence accidentelle de ses liaisons, et où, d'autre part, elle possède l'art d'endormir la méfiance de son vieux mari auquel, de temps à autre, elle va « donner du vent de sa chemise ». D'ailleurs, après avoir envoyé Finet porter un cadeau à son galant de cœur, elle donne un exemple de son savoir-faire dans une scène de séduction à son mari qu'elle ensorcelle en lui renouvelant ses protestations d'amour et de fidélité, au point que ce dernier, qui se sent reverdir et frise la syncope cardiaque, lui déclare qu'il lui serait impossible d'accorder foi aux propos médisants qu'il pourrait entendre à son égard. Sur ces entrefaites, deux neveux à héritage sonnent à la porte, bien décidés à ouvrir les yeux de leur oncle sur le comportement de sa femme afin qu'il la répudie; mais leur conversation est surprise par Finet qui court en avertir sa maîtresse. Celle-ci, pour parer au danger, se précipite chez son mari pour une nouvelle scène de séduction : après l'avoir cajolé, les larmes aux yeux, elle feint de se laisser arracher malgré elle le secret de son chagrin et elle lui déclare qu'elle est attristée par les propos que ses neveux tiennent sur sa cornette dont ils prétendent :

> Qu'elle va deça et delà
> Devant, derriere et de travers
> Et a l'endroit et a l'envers.

Le barbon, piqué dans son amour propre, lui promet de donner une leçon aux neveux et la rusée peut alors se réjouir avec Finet du piège qu'elle a tendu et s'embusquer derrière la porte pour en voir les effets. De fait, lorsque les neveux arrivent et essaient timidement et à mots couverts d'amener la conversation sur l'inconduite de leur tante, leur oncle, qui pense à sa cornette, prend les devants pour leur déclarer tout de go :

> Elle ira deça et dela
> Devant, derriere et a travers
> En despit de vostre visaige !

Et malgré les protestations des neveux interloqués, le quiproquo se poursuit jusqu'à ce que l'oncle, furieux et excédé, les chasse à jamais, à la grande joie de la jeune femme qui, satisfaite du résultat de sa ruse, revient cajoler son vieil époux qu'elle finit d'aveugler ! Nous avons donc là une véritable comédie qui met en scène des caractères vivants et dans laquelle les procédés comiques s'intègrent à une trame vraisemblable, justifiée par la psychologie qui commande les réactions de chaque personnage. Pas de comique de coups, de retours répétés, de cachette, mais une action scénique qui respecte une certaine bienséance (la victoire de la ruse et l'impunité de l'adultère se justifient dans la morale du temps par le déséquilibre du couple) et se déroule dans un lieu unique, chambre et antichambre. Le progrès depuis les farces illustrant un bon tour est net : le théâtre populaire est en marche vers la comédie moliéresque.

Le miroir du réel

La farce médiévale, à travers ses multiples et différentes productions, laisse l'image d'un genre populaire qui se cherche, qui lentement met au point ses procédés et ses techniques propres, s'affine et se transforme, suivant en cela l'évolution du niveau mental et culturel de la plèbe urbaine et campagnarde, au contact des différentes couches de la petite bourgeoisie plus cultivée et qui tend à affermir son influence. Les premières pièces ne sont que de simples parades qui, visant à provoquer un bon rire populaire, empruntent au quotidien leurs sujets, bons tours, disputes conjugales, obscénités. Parallèlement, apparaissent des pièces plus techniques, qui mettent en scène les types nés avec les monologues parodiques. Et peu à peu la galerie des types s'accroît d'unités qui doivent parfois leur naissance à la simple exploitation systématique d'un procédé verbal ou technique. Des cycles se constituent autour de certains d'entre eux et l'on cherche à étoffer les pièces par des techniques de réduplication : de dialogues où s'affrontent deux personnages (francs archers ou couple conjugal), on passe à des canevas qui opposent des couples et où entre parfois un cinquième élément chargé de résoudre le conflit. Mais, une trop grande technicité ayant souvent l'inconvénient de donner un caractère factice aux actions ou aux intrigues, les auteurs font porter leurs efforts et leur recherche sur d'autres modes d'élaboration de schémas scéniques. Ils améliorent les parades en appliquant presque systématiquement le principe du retournement, qui nécessite parfois l'utilisation d'un personnage complémentaire. Puis ils nourrissent leurs schémas de péripéties qui reposent sur des procédés — déguisements, retours répétés, etc. — qui serviront de ferment à la genèse de pièces plus complexes. Ils tentent même d'adapter à la scène des fabliaux et des nouvelles dans toute leur complexité narrative. Peu à peu, la prise de conscience de la spécificité et des contraintes de l'art dramatique les amène à épurer leurs intrigues et à privilégier les caractères dans une action scénique que l'on veut vraisemblable. Ils en viennent ainsi à bannir ce qui caractérisait la farce médiévale et son comique de marionnettes, pour s'orienter vers la comédie de caractères.

Ainsi la recherche théâtrale au XVe siècle, en ce qui concerne la farce tout au moins, se situe essentiellement au niveau du procédé — qu'il soit simple procédé verbal générateur de comique ou qu'il permette de créer une situation burlesque. Ce n'est qu'occasionnellement que les auteurs se penchent sur la peinture des caractères [18] ou la recherche de canevas dramatiques spécifiques. Les actions ou les intrigues, de caractère anecdotique, restent généralement linéaires. Aussi la farce ne peut-elle se définir comme un genre fondé sur une structure déterminative. Mais cela s'explique : elle se veut calque et miroir du réel; c'est dans cette adéquation ou dans les écarts qu'elle présente que se trouve son message. Tel n'est pas alors le cas du théâtre destiné à l'élite cultivée et dont le genre majeur est la *sottie.*

---

18. Pour s'en convaincre, il suffit d'opposer les titres de nos farces à ceux des comédies de Molière. D'un côté des titres qui peignent le personnage principal par son défaut majeur (*l'Avare, Tartuffe, le Misanthrope, le Malade imaginaire,* etc.), de l'autre des titres qui annoncent une action, une péripétie, une liste de personnages ou au mieux un nom propre.

6

Les structures de la sottie

Ainsi que nous l'avions suggéré au chapitre 4, la spécificité des thèmes et des personnages de la sottie implique un genre bien différent de celui de la farce, un genre qui, s'il s'appuie sur des techniques verbales mises au point lors du passage du monologue au dialogue, se définit par un niveau d'abstraction beaucoup plus grand : cette abstraction résulte du désir de s'attaquer aux problèmes fondamentaux de la vie sociale et politique et de susciter, derrière le paravent immunisateur d'une folie simulée, une prise de conscience et un engagement du spectateur [1].

De telles pièces, dont la forme doit sans doute beaucoup aux manifestations et à l'esprit de l'antique *Fête des Fous,* et qui présentent le plus souvent plusieurs niveaux de signification complémentaires, étaient de toute évidence destinées à un milieu cultivé (à ce milieu de la bourgeoisie moyenne qui se sentait de plus en plus le droit de participer activement à la direction des affaires) et écrites par des auteurs appartenant à ce milieu, clercs de la basoche et écoliers. De ce fait, on se doute qu'une forme de théâtre aussi incisive et militante allait, dès sa naissance, se heurter au régime en place et être l'objet d'une censure sévère. Dès 1442, des auteurs sont emprisonnés; le Parlement publie

1. Nous nous bornerons dans ce chapitre à donner un aperçu schématique du genre de la sottie. Pour plus de détails nous renvoyons à notre ouvrage *le Monologue, le Dialogue et la Sottie; essai sur quelques genres dramatiques de la fin du Moyen Age et du début du XVIe siècle,* Thèse Lettres, Paris IV, 1972.

un premier arrêt contre la Basoche et tente de réglementer les représentations à Paris. Mais les auteurs ne s'inclinent pas pour autant; les oppositions se durcissent comme en témoignent de nouveaux arrêts en 1473, 1474 et 1476. Et si par la suite certains rois, comme Louis XII, montrèrent plus de tolérance, d'autres, comme François 1er, firent preuve d'une rigueur extrême tant à l'égard des basochiens qu'à celui des écoliers. Aussi, malgré une résistance larvée, on peut prétendre que les arrêts de 1536, de 1538 et surtout celui de 1540 sonnèrent le glas de la sottie.

Il est évident que cette censure, outre le fait qu'elle provoqua par ses attaques répétées une sorte d'abâtardissement des formes primitives du genre qui alla parfois jusqu'à une véritable émasculation, fut responsable de la disparition de nombreuses pièces dont il ne nous reste guère aujourd'hui qu'une soixantaine réunies, pour la plupart, dans le *Recueil Général des Sotties* d'E. Picot et dans l'édition donnée par Mlle E. Droz du *Recueil Trepperel.* Ce maigre échantillonnage rend évidemment la tâche difficile à qui veut étudier la genèse et l'évolution du genre, d'autant plus qu'il s'agit là d'un genre de rencontre dans lequel se sont rejoints les différents courants du théâtre populaire et bourgeois. Il est néanmoins possible de distinguer plusieurs catégories de sotties.

Les formes primitives

Les formes primitives ont ceci de particulier qu'elles semblent spécifiques de courants déterminés : théâtre populaire avec les *sotties-parades,* théâtre de la basoche avec les *sotties-jugements* et théâtre de collège avec les *sotties-actions.*

Les sotties-parades

Les pièces de cette catégorie représentent vraisemblablement les séquelles laïques de la *Fête des Fous,* lorsque celle-ci frappée par de nombreuses interdictions — Concile de Bâle en 1435, *Pragmatique Sanction* en 1438, Concile de Soissons en 1456 — fut chassée hors de l'église. De la *Fête des*

Fous elle a gardé l'esprit parodique, le goût du scatologique et de l'obscène et le droit à la liberté de parole, lorsqu'elle s'exprime à travers des propos décousus qui symbolisent le dérangement mental de la folie.

C'est en effet l'esprit parodique qui a servi de moteur à l'élaboration des *Vigilles de Triboulet* (D, X) [2], pièce que l'on pourrait résumer ainsi avec E. Droz (p. 217) : « Triboulet le grand capitaine des sots, vient de mourir. Mère sotte, accompagnée de Rossignol, arrive sur la scène pour annoncer ce décès à ses enfants qui jouent et rient. Toute la pièce n'est que le récit du trépas et la représentation des laudes de l'office des morts dites la veille de l'enterrement, que les sots chantent après avoir loué le défunt dont ils racontent les hauts faits ». Ajoutons que les louanges du défunt ne sont qu'un long monologue fractionné, débité à plusieurs voix et agrémenté de refrains chantés en chœur. Plus que le fond, éminemment burlesque, c'est la technique de mise en scène, fondée sur la parodie d'un rituel bien connu, qui donne à cette pièce sa vie et son originalité.

Mise en scène d'une plaisanterie scatologique avec la *Sottie de Trotte Menu et Mire Loret* dont nous avons déjà parlé et dont les personnages doivent leur nom de *sot* au costume qu'ils portent, recherche d'un verbalisme figuratif de la folie avec la *Sottie des Menus propos,* pot-pourri de propos décousus que tiennent trois sots et au milieu desquels ils lançent çà et là quelques pointes satiriques à l'adresse du régime, la sottie-parade revêt parfois un aspect plus technique : elle repose alors sur une exploitation systématique des procédés qui avaient permis le passage du monologue au dialogue et sur l'utilisation de différentes combinaisons de dialogues. C'est le cas de la *Sottie des Coppieurs et des lardeurs* (D,VIII) et de la *Sottie des sots qui corrigent le Magnificat* (D,IX). Dans cette dernière, apparaissent encore deux personnages traditionnels d'hommes à tout faire : Aliboron et Dando Mareschal.

Toutes ces parades sont des pièces sans grande portée satirique, qui cherchent avant tout à ressusciter le rire

---

2. Nous rappelons que nous utilisons le sigle D pour désigner le *Recueil Trepperel,* édité par E. Droz, Paris, 1935.

libérateur de la *Fête des Fous* par le costume de leurs interprètes et la technique de leurs échanges. Elles ne sont bien souvent que des farces gestuelles particulières — qu'égaient les sauts et gambades de leurs acteurs — et elles ont contribué à induire en erreur les critiques qui n'ont vu le genre de la sottie qu'à travers elles.

Les sotties-jugements

Avec cette nouvelle catégorie qui regroupe une vingtaine de pièces, réparties de manière inégale entre trois sous-catégories — les *sotties-séance de tribunal,* les *sotties-revue* et les *sotties-journal —,* nous entrons dans le domaine réservé du théâtre de la Basoche. Il est probable en effet, et leur structure tend à le prouver, que ces pièces dérivent des fameuses *causes grasses,* sorte de jeux qui permettaient aux futurs magistrats d'exercer leur talent en procédant, avec tout le cérémonial traditionnel de la justice et selon le déroulement normal d'une séance de tribunal, au jugement de causes burlesques. C'est en effet une structure de séance de tribunal qui sert de moule à l'élaboration de ces pièces dont les auteurs se sont donné pour mission de porter sur la société et ceux qui la gouvernent un jugement de bon sens qui fasse éclater l'incohérence de leur comportement. Il est évident qu'une telle finalité transforme les personnages mis en scène en censeurs publics et, s'ils empruntent à la sottie-parade le capuchon protecteur de la folie et le décousu figuratif de ses propos, ils ne peuvent se confondre avec ses interprètes. Ils sont, eux, des sots sages qui font asseoir le monde au banc des accusés.

1. *La sottie-séance de tribunal.* L'un des exemples les plus caractéristiques de cette sous-catégorie est la *Sottie des Sots triumphants qui trompent Chascun* (D, III). Elle débute sur le *cri* de Mère Sotte destiné à rassembler ses suppôts : « Sotz triumphants, Sotz bruyans, Sotz parfaitz... venez avant... Et acourez plus viste que le pas. » (v. 1-16). C'est, symboliquement, l'*ouverture du procès* qui, dans certaines pièces, est suivie de l'envoi de hérauts qui vont l'annoncer et convoquer les plaignants. Répondant à l'appel de Mère Sotte, deux sots, Teste Verte et Fyne Mine, apparaissent en

s'interpellant sur un rythme alerte, et se dirigent vers leur maîtresse (v. 17-26) : c'est l'*arrivée des plaignants,* les sots-censeurs. Mère Sotte leur adresse alors une demande de rapport à laquelle ils répondent en exposant leurs doléances et en brossant un tableau satirique de la situation : ils signalent en effet qu'il n'y a plus de vrais sots — de contestataires conscients — car ils sont tous *gastez* par le régime et, lorsque Chascun — qui représente la société — frappe à la porte, ils se livrent à une critique générale de son comportement (v. 27-93) : c'est l'*exposé des doléances des plaignants.* Après ces étapes préliminaires, on aborde le temps fort de la pièce, la *comparution des accusés* qui, bien souvent, se décompose en deux moments : le *réquisitoire* et la *plaidoirie de la défense.* C'est évidemment là le point délicat de nos pièces, qui devraient faire apparaître à la barre des accusés les responsables nominaux d'un régime insatisfaisant; mais on comprend fort bien qu'au nom de la prudence la plus élémentaire les auteurs procèdent par attaque indirecte et fassent comparaître des personnages comme Chascun, les Gens, le Monde, le Temps-qui-court, tous personnages dont le comportement symbolise les effets du système visé : on dénonce la cause par sa conséquence. Dans notre pièce, Chascun se comporte selon le tableau que l'on a brossé de lui (v. 94-128) : c'est alors la mise en accusation d'un régime caractérisé par une croissance de l'amoralisme. Victime de la frénésie du temps, Chascun sacrifie l'être au paraître et, reniant sa classe, ne songe qu'à « trancher du gentilhomme » en se comportant avec l'individualisme farouche et dénué de scrupules d'un arriviste. Pourtant, après une fin de réquisitoire houleuse au cours de laquelle les sots se saisissent de Chascun pour l'amener de force devant Mère Sotte [3], la défense a gain de cause : les arguments de l'accusation tombent lorsqu'on enlève à Chascun ses vêtements et qu'il apparaît en livrée de sot (v. 129-168); Chascun n'est pas responsable, car il appartient au même monde que ses accusateurs (v. 169-193); il est fondamentalement un sage (un sot), mais il a succombé à la folie du temps et il est devenu

3. C'est là une action signifiante qui évoque le rôle même de ce genre dramatique.

une victime. C'est alors que va comparaître le véritable responsable, le Temps auquel, dès son entrée, Chascun fait serment d'allégeance pour s'entendre conseiller (v. 217-221) :

Se voullez aler a cheval
Et estre homme de grant affaire,
Premier il vous fault contrefaire
Du saige et du bon entendeur
Dire le mal et le bien taire

Le Temps va même jusqu'à donner à Chascun une trompe pour lui permettre de se conduire « par tromperie » (v. 194-274). C'est là un nouveau réquisitoire qui, dans la mesure où il consiste à mettre en évidence le mécanisme qui conduit Chascun à la chute (cf. v. 260-262), constitue pour ce dernier la plaidoirie de sa défense. Le dernier temps de la pièce est évidemment constitué par le *verdict* ou jugement de Mère Sotte : c'est le point qui comporte le plus de risques pour l'auteur, et l'on comprend qu'il soit bien souvent une constatation d'impuissance ou soit traité de manière voilée et allusive par un jeu de scène à valeur signifiante. Dans la pièce qui nous préoccupe, le Temps, sur l'ordre de Mère Sotte, pourvoit aussi les sots de trompes ce qui leur permet de « tromper » Chascun (v. 275-326), illustration du fameux thème du trompeur trompé qui prend ici une triple valeur : punition de Chascun, condamnation de la versatilité du Temps qui « Chascun fait et deffait » et « se mue d'heure en heure », et menace voilée, car les sots font ainsi part de leur volonté d'imposer leur loi et de l'espoir qu'ils ont de pouvoir y parvenir car ils « ont tousjours le Temps ».

C'est donc ici la structure-canevas qui conditionne l'élaboration des pièces. Bien entendu, selon le degré de sévérité de la censure — ou simplement le degré de clarté atteint dans la situation traitée — cette structure peut être achevée ou incomplète : ainsi dans la *Sottie des Sots qui remettent en point Bon Temps* (D, XII) et dans la *Sottie des Sotz fourrés de malice* (D, V), le réquisitoire, prononcé par la Chose Publique ou par Bon Temps et Tout, a été suffisamment explicite pour qu'il ne soit pas utile de faire comparaître les accusés que l'on condamne par défaut. Mais le verdict contribue à combler cette lacune; dans la seconde pièce, le Capitaine nomme ses sots « revisiteurs » de la Chose Publique et, dans la première, le Général déclare : « je vueuil sans y mectre debat que Tout soit remys en estat », ce qui est là adresser au pouvoir, de manière déguisée, une invite à réparer ses méfaits. Non seulement la structure de séance de tribunal conditionne donc l'élaboration de la pièce, mais c'est elle qui donne à l'action sa véritable signification en faisant d'elle un théâtre engagé qui appelle à la contestation politique.

2. *La sottie-journal.* Cette variante de *sottie-jugement* pourrait être considérée, à l'origine, comme une *sottie-séance de tribunal* tronquée et réduite au troisième point de sa structure : l'exposé des doléances des plaignants. Caractérisée le plus souvent par une absence totale d'action, elle consiste en une simple juxtaposition de *rapports* présentés par les sots sur l'invitation du meneur de jeu. Telles se présentent la *Sottie des rapporteurs* (D, IV), la *Sottie des cronicqueurs de Gringore* (P, II, 13)[4] et la *Sottie pour le cry de la Basoche* (P, III, 28). Chacune de ces pièces a cependant son originalité propre. La première, dont les rapports se bornent à un tour d'horizon social, laisse transparaître son jugement en utilisant l'antiphrase systématique, les rectifications et la technique de la *pronostication* burlesque. La seconde est une pièce pro-gouvernementale destinée à chanter les louanges du nouveau roi en dénigrant ses prédécesseurs : Mère Sotte et cinq de ses suppôts y passent en revue les trois régimes précédents pour mieux montrer le renouveau qu'apporte le temps présent et l'espoir qu'il fait naître. Quant à la troisième, elle se présente dans sa première partie comme une discussion entre la Basoche, deux sots et Monsieur Rien : ce dernier, entre ses réponses aux problèmes amoureux que lui posent les sots, place de violentes pointes satiriques sur l'état du royaume de France; et la pièce complète, comme un quotidien d'information, son tour d'horizon politique d'une chronique scandaleuse du quartier, ce qui est

4. Nous désignons par le sigle P le *Recueil général des sotties* édité par E. Picot.

vraisemblablement là une astuce de protection contre la censure. Ce sont donc là des pièces très statiques qui ne valent que par leur dialogue, dont l'intention satirique est plus ou moins déguisée.

3. *La sottie-revue.* La structure de cette dernière sous-catégorie de *sotties-jugements* — qui regroupe des pièces tardives et presque toutes d'origine normande comme *la Reformeresse* (P, III, 25) ou *les Povres deables* (L, V) — semble reposer sur un fait d'actualité. Elle consiste en un défilé de prévenus divers devant un tribunal d'exception présidé par Mère Sotte sous ses différents masques, laquelle est assistée d'un valet qui, en fait, dirige les opérations : c'est lui qui assigne les accusés, les introduit, pose des questions, prend des notes et conseille Mère Sotte; il est à la fois huissier, greffier, procureur et avocat. On est évidemment tenté de mettre cette juridiction extraordinaire en rapport avec l'institution, vers 1520, d'enquêteurs royaux envoyés auprès des collectivités pour prélever l'argent correspondant à l'augmentation des impôts, et qui étaient aussi chargés de vérifier la manière dont les officiers royaux s'acquittaient de leur tâche. C'est ainsi que « la Reformeresse » des *Povres deables,* qui tient ses *jours haulx,* s'efforce de percevoir une dîme de ceux qui comparaissent devant elle : un prêtre cupide, un avocat marron, une prostituée, un amoureux vérolé et un moine défroqué. On assiste à une succession de petits jugements rapides qui sont autant de pointes dirigées contre le régime, dont on montre l'injustice en matière fiscale — les innocents sont en général punis et les coupables absous —, ou contre les mœurs dont on souligne la dégradation.

Dans toutes ces pièces, qui se sont donné pour tâche de faire passer la société au tribunal de la sottie et qui reposent sur une structure signifiante spécifique du milieu des basoches, le sot a un rôle de censeur; il est un sot-sage qui se détache de la société sur laquelle il jette un regard critique. Or ce personnage fondamental sera totalement différent, dans son essence comme dans son comportement, dans la dernière catégorie des sotties primitives, la *sottie-action.*

Les sotties-actions

A la différence des sotties précédentes, celles de ce dernier groupe, plus tardives dans l'ensemble, ne sont pas fondées sur une structure rigide à valeur signifiante dans laquelle on essaie tant bien que mal d'intégrer l'action de la pièce. Ici, au contraire, c'est l'action elle-même, dans son déroulement chronologique, qui sert de structure et tend à devenir signifiante par la simple transposition qu'implique toute représentation théâtrale, surtout si elle recherche une certaine abstraction. Nous sommes ici très près de la *moralité,* tant par la structure des pièces que par leur caractère, voire l'organisation du spectacle et du décor et, bien souvent, la limite entre les deux genres est difficile à saisir.

Cette forme de sottie est vraisemblablement apparue d'abord dans les collèges où elle était représentée par des écoliers rompus à la pratique théâtrale des moralités. Compte tenu de son esprit, on peut penser que la *sottie-action* résulte d'une évolution qui conduit de la moralité *historique* (destinée le plus souvent à rendre compte d'un événement politique et à le célébrer par une interprétation allégorique comme la *Moralité de Povre Commun* [5], composée par Michault Taillevent pour célébrer la paix d'Arras en 1435) à la moralité *polémique* (qui essaie de défendre une prise de position politique en la concrétisant scéniquement, comme la *Moralité du nouveau monde* d'André de la Vigne, qui est une polémique en faveur de la *Pragmatique Sanction)* et à la moralité *satirique* — comme la *Moralité nouvelle de la Croix Faubin* [6] qui met en scène les exactions du pouvoir, représenté par *Tout,* à l'égard des groupes sociaux populaires personnifiés par *le Pain* et *le Vin,* ou la *Farce nouvelle de Marchandise, Mestier, Pou d'acquest, le Temps-qui-court et Grosse Despense* qui, comme son titre l'indique, illustre les doléances du peuple à l'égard du pouvoir qui l'oppresse. Il suffirait dans ces dernières pièces de remplacer les noms des personnages qui représentent des entités abstraites par celui de *sot* pour qu'on ait là une sottie-action.

---

5. Éditée par J. H. Watkins, in *French Studies* VIII, 1954, p. 207.
6. Éditée par D. W. Tappan et S. M. Carrington, in *Romania,* XCI, p. 161.

Signalons aussi que les écoliers, à l'instar de ce que faisaient les clercs de la Basoche, ont parfois créé des pièces en prenant pour cadre et canevas une situation inhérente au milieu dans lequel elle était jouée — les abstractions traditionnelles de la moralité évoluant alors en milieu réaliste. Ainsi font ceux du Collège de Navarre dans la pièce au titre caractéristique qu'ils jouent en 1427, la *Moralité faicte en foulois pour le chastiement du Monde :* « il n'est pas douteux que nous ayons affaire à une sottie de collège dont les personnages sont des fous animant la scène de leurs quiproquos, mais dont l'action rudimentaire se déroule dans une salle de cours, parodiant ainsi les usages scolaires » (Bossuat).

Comme elle n'est pas élaborée à partir d'une structure préconçue, mais qu'elle consiste à concrétiser sur la scène — grâce au recours à l'allégorie — un événement, une idée, une donnée satirique abstraite, la sottie-action peut prendre différents aspects. Elle peut être une simple adaptation à la scène d'un événement réel. C'est la forme la plus simple. La seule transposition que l'auteur fait subir à l'événement consiste à munir les protagonistes du drame du capuchon immunisateur de la folie : tous les acteurs sont des sots anonymes. Ainsi l'événement particulier prend-il un caractère intemporel qui lui confère une portée générale. De plus, à travers le déroulement chronologique de l'action qui sert de structure à la pièce, c'est le mécanisme de l'événement et non son résultat qui devient le sujet primordial et c'est à travers lui que se transmet le message.

Tel est le cas de la *Sottie des Sots escornez* (D, XV) qui nous peint une conjuration contre le pouvoir. Au début de la pièce, trois sots sont en scène et échangent de menus propos (v. 1-58) lorsqu'arrive le Prince qui, à grand renfort de corne (première ballade, v. 59-93), appelle ses suppôts à venir à lui. Mais ces derniers font la sourde oreille, ce qui provoque l'étonnement de leur maître (v. 106-109), puis sa colère qui s'exprime en menaces (seconde ballade, v. 124-144). Un nouveau personnage, Gautier, va alors se mêler aux trois sots pour les inviter à l'obéissance. Ceux-ci lui confient qu'ils renient le pouvoir de leur prince, le *Sot haultain,* et qu'ils sont décidés à entreprendre une action (v. 156-160) qui leur assurera la direction du gouvernement (v. 165). Dans le feu de la discussion, ils prêtent le serment d'accomplir leur projet jusqu'au bout et d'en garder le secret : c'est la conjuration (v. 169-196). Après quoi, en pleine euphorie, ils bâtissent des châteaux en Espagne comme si le Prince était déjà détrôné, cependant que Gautier feint d'adhérer au mouvement. Aussi lorsqu'à nouveau le Prince les appelle, refusent-ils d'obéir (v. 232-234). Mais Gautier, qui est un agent doublé et en porte le costume :

> Pour ce en lieu d'une testiere
> Une tour a deux visaiges
> Pour ce qu'il est de deux villaiges

dévoile au Prince la conjuration et, tout en quémandant une récompense, qui lui est promise, il incite celui-ci à agir avec rudesse pour châtier les coupables (v. 236-258); puis il rejoint les sots qui mettent au point leur conjuration. Après avoir repoussé la proposition du premier, qui préconisait une entrevue préalable avec le Prince, et rappelé leur serment de se battre jusqu'à la mort, ils écoutent les directives du second sot qui leur enjoint de rassembler chacun de dix à douze mille hommes et de se rendre dans une ville où les attend déjà un vieux sot puissant dont la loyauté est certaine. Enfin, sur la demande du traître Gautier, ils fixent le jour et le lieu du rassemblement (v. 291-365), puis se séparent, non sans avoir exprimé leur méfiance à l'égard de Gautier. Ce dernier d'ailleurs vient immédiatement mettre le Prince au courant, ce qui lui vaut la promesse d'une récompense dont l'importance n'a d'égale que la colère du Prince à l'égard de ses suppôts auxquels il prédit un châtiment exemplaire : « car je suis certain, a jubé venrez ». Telle est la trame de cette sottie qui semble destinée à mettre en lumière le mécanisme conduisant une conjuration à l'échec, mettant ainsi les révoltés futurs en garde contre le danger que représente tout agent double. Ajoutons qu'à la différence des *sotties-jugements* de la Basoche, le personnage fondamental n'est plus ici un sot-sage qui s'est exclu de la société, mais un membre de cette société qui, bien souvent, en est la victime et dont le comportement — dont on veut montrer le caractère déraisonnable — doit servir d'exemple. Cette finalité est apparente lorsque la *sottie-action* essaie de traduire scéniquement un thème satirique.

Au lieu de se borner à une simple transposition scénique d'un événement quotidien, les auteurs peuvent essayer de traduire d'une manière imagée une pensée satirique par un acte trivial appartenant au quotidien. Cet acte quotidien, qui sert de structure à la pièce ou plus simplement de schéma directeur, devient alors signifiant. Le plus souvent, il est un jeu et les joueurs, des personnifications allégoriques des classes sociales, ou des sots qui appartiennent à un groupe déterminé. Ainsi dans la *Sottie des sots ecclésiastiques qui jouent leur bénéfice au content* (D, XVI) : après leur rencontre, traduite par un dialogue très vif, trois « vrays sotz ecclésiastiques » ne trouvant à se distraire, décident d'aller demander conseil à Haulte Folie. Ils lui proposent de boire, de tuer des mouches, de « prendre les petz a la glus ». Chaque fois Haulte Folie les en dissuade, puis, à leur grande joie, après s'être renseignée sur leur origine (le premier était braconnier, le second fils d'un savetier et le troisième maquereau), elle leur propose de jouer au *content* et leur distribue à chacun une carte qui a la particularité de représenter un bénéfice. S'ils ne sont pas contents, les joueurs ont le droit d'échanger leur carte, ce qu'ils font jusqu'à satisfaction; puis Haulte Folie procède à une nouvelle distribution et un nouvel échange a lieu. C'est en quelque sorte un jeu de bluff, poker avant la lettre, auquel nos sots se livrent à chaque tour de cartes :

Le I : Tien ma carte que j'ayes la tienne!
Le II : Ha! Corps bieu vous estes trompé :
L'archediaconé est mienne!
Le III : Corps bieu vela bone fredaine!
Le II : Ma carte (ne) vault ne croix ne pille
Et toutesfois j'ay eu la sienne
Qui me vauldra deux ou trois mille!

Avec le jeu, les enchères, ou plutôt les désirs de nos joueurs avides montent : ils désirent être cardinal, pape, Dieu... ce qui fait naître entre eux la jalousie et la dispute. Après le septième tour de cartes, comme ils sont toujours insatisfaits,

Haulte Folie les voue à l'Enfer. Ainsi, grâce à la mise en scène de ce jeu de cartes particulier l'auteur peut-il traduire l'avidité des ecclésiastiques, la dissolution qui règne dans leurs rangs, et traiter, d'une manière plus générale, du scandale de l'Église, où les plus hautes dignités sont réparties de manière arbitraire entre des hommes ignorants et sans foi.

Ce mode d'élaboration a pu faire naître l'idée de traduire par une action imaginée une donnée satirique abstraite, cette action étant destinée à concrétiser le message à transmettre. Nous abordons là les plus intellectuelles des *sotties-action.* On peut ainsi visualiser le comportement de certaines classes sociales, comme dans la sottie des *Troys galants, le Monde qu'on fait paistre et Ordre* (P, I, 2) : le schéma le plus employé est alors celui des *galants* qui courtisent une maîtresse adulée et la satire s'exprime dans le choix même de celle-ci qui généralement s'appelle Folie comme dans *la Folie des gorriers* (P, I, 5).

Dans la sottie des *Troys galants,* qui est certainement plus proche de la fin du xve siècle que ne l'admet E. Picot, trois représentants d'une société hypocrite veulent vivre aux dépens du Monde et mettent au point leur tactique :

Le II : G'iray le chemin de derrière
Le III : Et moy le chemin de travers
Le I : Et moy à la gauche en arriere.

Dès que le Monde entre en scène, ils passent à l'action. Mais le Monde se méfie, et tout essai pour l'aveugler en lui bouchant les yeux avec des balles noires et blanches, pour le faire paître avec une poignée d'herbes ou pour le transformer en bête, échoue. Les galants essaient alors la flatterie pour lui dérober son argent, ses vêtements, sa toque. Nouvel échec. Arrive Ordre qui délivre le Monde en chassant les galants et donne la morale de la pièce : celui qui veut obtenir des biens du Monde doit se présenter à lui de face et non suivre la *voye oblicque.*

Dans la seconde pièce, que Picot date de 1465, deux personnages qui ressemblent étrangement au franc-archer de Baignollet se lancent dans un dialogue où ils vantent leurs faits de guerre imaginaires, contredits en aparté par Folie.

Mais, contraints de constater leur dénuement, ils décident de chercher fortune en se faisant « gorriers ». Folie se montre alors et leur explique qu'elle règne sur le monde depuis l'aube des temps. Subjugués par tant de puissance, nos deux galants se mettent à la courtiser d'autant plus volontiers qu'ils sont incapables de lire son nom qu'elle porte écrit sur sa manche. Folie accepte leur flamme et leurs offres de service, à condition qu'ils s'habillent en *gorriers*, ce qu'ils font sur le champ. Après quoi ils écoutent les conseils de leur nouvelle maîtresse sur la manière de se bien comporter :

Dictez que vous avez escus
La ou vous estes empreunteurs
Et au lieu de toutes vertuz
Soyez mesdisans et flatteurs

conseils qu'elle développe longuement (55 vers) afin de mieux convaincre ses nouveaux adeptes. Puis ceux-ci, convertis à Folie, se promènent de long en large sur la scène, pendant que Folie, en aparté, s'adresse au public pour l'inviter à regarder agir ses nouveaux suppôts. C'est là une très courte scène destinée à traduire l'écoulement du temps : les deux *gorriers*, devenus riches mais fous, ne se reconnaissent plus et s'adressent des propos décousus. Ils finissent par revenir auprès de leur maîtresse pour lui demander son nom et apprennent, à leur grand désespoir, que c'est à Folie qu'ils doivent leur réussite exceptionnelle dans le monde. Et c'est un *fol*, personnage de moralité, qui tire la conclusion : malgré leur brillante réussite, ils ne sont que deux sots. Ainsi cette longue pièce de 632 vers n'a-t-elle d'autre but que de traduire sur le plan dramatique l'idée que la folie régit le monde.

Dans toutes ces pièces, l'action a une valeur signifiante dans la mesure où elle traduit explicitement une prise de position qui est à la fois contestation et effort pour résoudre un problème. C'est là un témoignage de la conscience aiguë que prend le peuple d'une vie politique à laquelle il se reconnaît le droit de participer. Cette impression de théâtre « engagé » et dénonciateur apparaît nettement dans le chef-d'œuvre de la sottie-action, la *Sottise à huit personnages* écrite ndré de la Vigne en 1507 (P, II, 10). En 1578 vers, eur se livre à une violente dénonciation de l'amo-me des différentes classes sociales (Église, noblesse, trature, commerce, paysannerie) et du chaos dans sombre, par leurs abus, le monde entier.

peut se demander pourquoi la censure semble s'être e plus longtemps clémente à l'égard de ces sotties oliers dont l'engagement politique ne peut être mis en ute. En fait, cela tient au caractère même de ces pièces beaucoup plus abstraites, générales et moralisantes et qui laissaient — du moins en apparence — au spectateur le soin de juger et de se déterminer. Mais cela tient surtout à la fonction différente des rôles : le sot contestataire et censeur d'un monde dont il se détache dans la *sottie-jugement* devient ici un *galant* qui reste intégré à la société et par suite en reçoit tous les maux et plus particulièrement la déraison; Mère Sotte laisse sa place à une allégorie, personnification de la folie [7] qui règne sur le monde, et par suite la nature même du rôle est inversée : d'un meneur de jeu qui dirige la critique, on passe à un meneur de jeu dont l'action est à critiquer. La satire tend donc à s'intérioriser, bien que paradoxalement elle gagne en puissance, car c'est aux idées mêmes que la mise en scène permet de s'attaquer : au lieu de dénoncer les manifestations les plus tangibles au dérèglement social et politique, on montre directement sa cause qui en explique le mécanisme à un niveau plus abstrait. Mais si la répartition des rôles est signifiante, l'attaque devient anonyme; elle se fait au niveau du raisonnement, et non plus au niveau du verbe dénonciateur, puisque le meneur de jeu est lui-même mis en cause et que les attaquants, ou suppôts de Mère Sotte, deviennent des victimes immolées à des fins d'exemple. Ainsi la sottie-action était-elle dans son principe même mieux protégée contre la censure; on comprend qu'elle ait pu survivre quelque temps à la sottie-jugement.

---

7. Le meneur de jeu est alors *Folie* (P. I, 5), *Haulte Folie* (D, XVI), *Plaisant Folie (la Pipée)*, *Folle Bobance* (P, I, 9), *Malice* (P. II, 16). Il peut aussi résumer symboliquement tout ce que l'on critique : il s'appelle alors *Abuz* comme dans la *Sottise* d'A. de la Vigne.

Les formes bâtardes

Ce sont, nous l'avons dit, les plus tardives. Elles s'expliqu[ent] par la rencontre des divers courants qui avaient donné nai[s]sance aux sotties primitives — milieu populaire, milieu de[s] parlements, milieu des écoliers —, mais aussi et surtout par l'emprise croissante de la censure qui contraint la sottie à s'abriter derrière le burlesque inoffensif ou l'obscurité voulue. Ainsi apparaissent deux nouveaux types : la *sottie-farce* et la *sottie-rébus.*

La sottie-farce

La *sottie-farce* pourrait être définie comme une parade technique améliorée qui utilise la plupart des procédés permettant le passage du monologue au dialogue. Dans la plupart des cas son mode d'élaboration est simple : deux ou trois galants, qui se chamaillent dans un dialogue très vif en *staccato-style,* finissent par s'accorder aux dépens d'un badin dont ils vont s'amuser. Tel est le mince fil directeur qui sous-tend, par exemple, la *Farce des sobres sotz* (P, III, 21), la *Farce nouvelle de troys galans et un badin* (P, III, 31) ou la *Farce nouvelle des cris de Paris* (P, III, 24). Dans le premier temps de cette dernière, un badin, caché dans les coulisses et imitant les cris d'un marchand ambulant, apporte une réponse imprévue et comique aux questions que se posent deux galants sur les femmes et le mariage, ce qui provoque leur agacement. Puis il apparaît et les galants, jouant sur la naïve bonne conscience qu'il a de lui lorsqu'il déclare sérieusement être maître en l'art de la danse, lui font prendre des postures ridicules et caricaturales. Petit jeu auquel succède une discussion à bâtons rompus sur le thème de départ de la pièce, les femmes. La sottie-farce est donc une sottie émasculée, qui a totalement renoncé à sa vocation de théâtre engagé pour n'être plus qu'un simple spectacle comique.

La sottie-rébus

Tout en recherchant, dans une obscurité voulue, une protection contre la censure, les *sotties-rébus,* à la différence des précédentes, gardent ce qui fait l'essence de la sottie : un esprit satirique. Cet esprit s'exprime à travers une action qui ne repose sur aucune trame logique mais s'appuie, au niveau de la mise en scène, sur des jeux de costumes et, au niveau du vocabulaire, sur un jeu verbal. L'expression de la satire se cantonne donc dans l'élément visuel, dernier repli possible pour des comédiens qui risquent à chaque instant d'être poursuivis pour diffamation à l'égard du régime. Comme dans un rébus, l'image remplace le mot, la mise en scène, le verbe accusateur.

Tel est, pensons-nous, l'esprit qui, en 1523 anime l'auteur de la *Sottie des béguins* (P, II, 15), écrite dans un climat de suspicion car, comme le rappelle E. Picot dans son introduction à la pièce, la troupe genevoise des Enfans-de-Bon-Temps avait eu à souffrir du duc de Savoie : un de ses membres avait été exécuté en 1519 pour avoir participé à un charivari dirigé contre le représentant du duc. L'action se réduit ici à des jeux de costumes. Mère Folie ouvre le spectacle, vêtue de noir, car elle est en deuil de Bon Temps et de plusieurs membres de la confrérie qui ont disparu. Elle reçoit la visite d'un messager qui annonce la venue prochaine de Bon Temps. A cette nouvelle, elle convoque ses suppôts qui envoient une lettre à Bon Temps pour le prier de hâter son retour. De plus, pour fêter cet événement, ceux-ci décident de jouer comme par le passé. Mais ils ne peuvent retrouver leurs costumes. Mère Folie leur taille alors des chaperons dans sa chemise et les leur distribue. Cependant, les sots s'aperçoivent que leurs béguins n'ont qu'une seule oreille. Ils se résignent alors à boire tranquillement jusqu'au retour de Bon Temps; il leur est impossible de jouer car :

> L'aureille qu'avons interprette
> En mal ce que disons pour bien.

N'est-ce pas là une manière habile de montrer que malgré une amélioration sensible — une oreille — toutes les conditions ne sont pas encore remplies — deux oreilles — pour que les sots puissent s'exprimer en toute liberté, et n'est-ce pas un moyen de stigmatiser un régime en mettant le peuple en garde contre la police du duc et de l'évêque, toujours à l'affût de la moindre parole dirigée contre le pouvoir? Cette pièce, comme la plupart des formes bâtardes de sotties, est un des derniers sursauts d'un genre qui finira par disparaître sous les coups d'une censure qui se durcit sous François Ier, jusqu'au point de menacer les acteurs et auteurs de la peine de la *hart.*

Ainsi, bien qu'en ses débuts la sottie présente des analogies avec la farce, bien qu'elle s'en rapproche, par crainte du pouvoir, dans ses formes bâtardes et tardives, il n'en reste pas moins qu'elle ne peut se confondre avec elle. Elle est une forme originale et neuve d'un théâtre de combat, un genre de rencontre vers lequel convergent les différents courants du théâtre bourgeois, théâtre populaire, théâtre des basoches, théâtre des clercs et des écoliers; mais surtout, elle est un genre « intellectuel », qui, le plus souvent, présente un triple niveau de signification : il est un spectacle qui vise au comique immédiat au niveau de sa mise en scène et de ses personnages spécifiques, qui transmet un message au niveau de ses actions ou de ses intrigues et qui porte un jugement contestataire au niveau de sa structure signifiante. Pour toutes ces raisons, elle justifie la remarque de Charles d'Héricault qui, au milieu du siècle dernier, écrivait dans l'introduction de son édition des *Œuvres Complètes de Pierre Gringore :* « Je crois que la sottie est la plus moderne de toutes les formes de drame que nous a laissées le Moyen Age. »

7

Le message du théâtre populaire et bourgeois

Le théâtre, divertissement conçu par et pour la masse, en traduit les mentalités et les obsessions, les aspirations et les conceptions de vie. Pourtant d'un genre à l'autre, de la farce à la sottie, la visée diffère. On peut justifier cet écart par le fossé qui sépare le théâtre de pur divertissement du théâtre engagé, par la nature des milieux dont sont issus leurs auteurs respectifs, par les sources d'inspiration et les finalités de chaque genre, par les publics auxquels ils s'adressent. En fait la différence tient essentiellement aux conceptions d'élaboration des genres mêmes. Mais ceci posé, peut-on retrouver, à travers les farces et les sotties, l'esprit de cette frange de la classe bourgeoise qui, au XVe siècle, tend à affirmer sa prédominance?

La morale de la farce : une éthique populaire utilitaire

La farce, nous l'avons dit, s'intéresse aux individus; elle nous présente des personnages, des types. Mais encore convient-il de s'entendre sur cette notion de « type » : il ne s'agit pas de véritables types sociaux car, d'une part, la formation de tels types suppose l'élaboration du concept abstrait de la catégorie visée, démarche qui n'est alors qu'en voie d'accomplissement, et, d'autre part, leur emploi dans la farce amènerait une contradiction entre la volonté de systématisation théorique qu'ils supposent et le souci d'une représentation concrète et réaliste de la vie qui caractérise le genre. Le type est surtout une personne morale. Très rarement complexe, il n'est le plus souvent que la personnification d'un défaut. Ajoutons à cela, comme le remarque très justement Pietro Toldo [1], que la farce est plus une caricature qu'une satire : elle se borne à exploiter sur scène toutes les conséquences de ce défaut principal qu'est, pour le Moyen Age, la démesure individuelle par excès ou par défaut — par rapport à la norme définie socialement comme justice et équité — aussi bien dans le comportement intime que dans les rapports avec autrui.

L'individu tel qu'en lui-même

Le caractère caricatural qui sera celui de la farce, apparaît dès les premiers monologues qui, tous, illustrent ce défaut capital, la méconnaissance de soi, qui se traduit par une *démesure.* Charlatans, hommes à tout faire, francs-archers et amoureux sont avant tout des vantards que l'écart entre leurs paroles et leurs actes a tôt fait de présenter comme des pantins inconscients : le charlatan dépasse les limites de la vraisemblance; l'homme à tout faire non seulement ne craint pas de s'attribuer l'impossible, mais il met sur le même plan le savoir obligé de l'honnête homme et une pratique que la morale réprouve; le soldat fanfaron se révèle d'une lâcheté proportionnelle à ses vantardises et l'amoureux subit des mésaventures qui, bien qu'elles soient les conséquences directes et irréfutables de ses tares, n'altèrent en rien la flatteuse opinion qu'il a de lui-même et qu'il voudrait faire partager. Tous ne sont que paroles, flot verbal, vide intérieur. Pourtant ce n'est pas un rire vengeur ou correcteur que la farce suscite à leur égard, mais plutôt une reconnaissance souriante faite de pitié bonhomme. Le rire n'est pas ici une arme, mais un pardon.

C'est aussi à ce même manque d'une mesure déterminée par le bon sens empirique que s'attaquent toutes les farces du cycle des *benêts envoyés aux écoles.* Autant que

---

1. *Étude sur le théâtre comique français du Moyen Age et sur le rôle de la nouvelle dans les farces et comédies, Studi di filologia Romanza,* IX.

les acteurs de l'action, ce sont ici ceux qui les y conduisent — et la provoquent — qui sont mis en cause, parents — et plus souvent mères — que leur orgueil rend inaptes à juger les qualités et défauts de leur progéniture, qui est ce qu'ils l'ont faite, semblable à eux-mêmes. Car il faut voir dans ces farces, plutôt qu'une satire sociale dirigée contre le désir de parvenir de la moyenne bourgeoisie, une simple illustration de ce défaut majeur qu'est la méconnaissance de soi transférée sur le plan des rapports parents-enfants.

Mais si la démesure par excès est critiquable, la démesure par défaut l'est tout autant : elle devient sottise. La sottise est le résultat visible de la démesure individuelle en tant qu'impossibilité à atteindre la norme du bon sens, et elle se traduit par un certain comportement de l'individu dans des rapports dont autrui est le moteur. Elle est évidemment mise en valeur par son réactif obligé, la ruse, et trouve de ce fait son terrain de prédilection dans les farces conjugales et dans les farces dont le héros est un benêt ou un badin.

Dans les farces conjugales, où autrui se restreint aux membres de la cellule familiale, la sottise apparaît comme une tare propre aux maris et qui les conduit à être trompés ou asservis [2]. Dans cette catégorie de pièces, le mari est en général cocu, parfois battu, toujours content. Une critique superficielle pourrait en tirer argument en faveur d'une satire de la duplicité, de la perversité et de la lubricité féminines qui justifient l'antiféminisme et la misogynie du Moyen Age et qu'illustre un texte comme les *Quinze Joyes de mariage*. Ce serait oublier que le théâtre médiéval, et surtout la farce, repose sur une morale bon enfant où le méchant est puni. En effet, dans la plupart des cas, le mécanisme qui conduit le mari à être trompé se justifie non seulement par le fait que la femme n'a pas son mot à dire dans le choix d'un époux imposé par sa famille, mais surtout parce que le mari porte

---

2. Dans les farces conjugales, c'est en effet le plus souvent le mari qui est la victime, ce qui conduit Petit de Julleville à en déduire que la satire s'exerce à l'encontre de la femme, être inconstant et infidèle par excellence; mais il justifie cette déduction de manière bien paradoxale : « peut-être parce que ce sont les hommes qui composent les farces; peut-être aussi parce qu'une tradition injuste mais établie voulait que la femme trompée par son mari fût un objet de pitié, que l'homme trompé par sa femme fût un objet de risée », *la Comédie et les mœurs en France au Moyen Age,* p. 304.

en lui les germes de sa punition : il fait preuve d'une démesure qui lui fait ajouter — à l'encontre de tout bon sens — à sa trop grande différence d'âge avec une jeune épouse et à son impuissance virile une jalousie et une avarice qui donnent à sa coquette épouse des raisons supplémentaires de le tromper. N'y a-t-il pas de meilleur moyen pour inciter une femme à se venger que de l'enfermer à clef dans la maison comme le savetier Audin ou Martin de Cambrai? La farce exerce sa verve plus aux dépens du jaloux que de l'infidèle : ce qu'elle réprouve c'est ce qui est contre nature, contraire au simple bon sens. Lorsque le mari fait preuve de mesure et que la ruse de l'infidèle n'est pas justifiée, c'est elle qui est punie *(Farce de Naudet)* [3]. Mais il suffit du moindre faux pas pour que la balance s'inverse : le savetier Calbain qui pense éluder toutes les requêtes de sa femme en ne répondant que par des chansons est pris à son propre piège par une épouse rusée. D'ailleurs, si la farce, dans son rire franc et bonhomme, pardonne à la femme d'être sensuelle, coquette, bavarde et parfois autoritaire, elle est plus sévère à l'égard du mari qui doit être conscient de sa charge de chef de famille. Aussi toute impuissance à remplir cette charge est-elle durement sanctionnée; on ne pardonne pas au mari de laisser son épouse porter la culotte, alors qu'en la matière il lui suffirait de faire appel à Martin Baton *(Farce du Pont aux Anes)*, ou de se borner à des retours répétés pour gêner son rival sans l'exclure *(Pernet qui va au vin)*; on n'excuse pas plus sa crédulité *(Farce de Frère Guillebert, Farce du retraict, Farce de Jeannot, Jeannette, l'amoureux, le Fol et le Sot)*. Toute démission de son rôle comme tout manquement au bon sens sont punis. Chez l'amant même, manque de sang-froid et lâcheté se soldent par des mésaventures peu agréables dans des cachettes inconfortables, et son manque de discrétion lui vaut généralement une volée de bois vert. En fait, la farce ne fait pas la satire de la femme [4]

3. De même qu'est puni celui qui ne reste pas à sa place et ne remplit pas ses devoirs : la femme qui part en pèlerinage est trompée.
4. Dans les farces obscènes on rit de l'insatiabilité féminine, parce qu'elle met en valeur les limites masculines, mais on rit surtout de l'aspect métaphorique de l'action; on n'y recherche aucune moralité.

dont la nature est reconnue et admise, elle dénonce l'homme qui veut fermer les yeux devant l'évidence *(Farce de deux hommes et de deux femmes dont l'une a malle teste et l'autre est tendre du cul).* Si la femme est un être d'instinct, l'homme a le devoir d'équilibrer le couple par la raison : s'il y renonce, il est fautif et donc objet de risée. C'est là une morale empirique du quotidien et qui diffère de celle du fabliau, plus satirique à l'égard du beau sexe. Pour la farce, « à mauvais mari mauvaise femme ». C'est l'équivalent du « tel père, tel fils » des farces du benêt qui va aux écoles; une morale toute proverbiale.

Plus largement la farce rit de toute sottise qui place son auteur dans un état d'exclusion-infériorité par rapport à la société. C'est ainsi que le benêt — ou le badin dans sa première acception — qui confond l'esprit et la lettre (Jeninot, Mahuet) et révèle ainsi sa méconnaissance du code, son inadaptation à la vie sociale, est objet de risée. Et l'on pourrait justifier de la même manière toutes les pièces qui, aujourd'hui, nous semblent cyniques, dans la mesure où le rire s'y exerce aux dépens d'un infirme, sourd, aveugle ou boiteux : l'homme du Moyen Age voyait avant tout dans l'infirmité un écart avec la norme. Plus généralement, la farce rit de la victime d'un bon tour lorsque celle-ci ne doit cet état qu'à une crédulité critiquable. Mais c'est peut-être là que la farce se révèle profondément morale et humaine, car ces êtres qui, à l'inverse des maris trompés, sont des sots de nature et donc irresponsables, s'ils voient leur sottise punie à titre d'avertissement, n'en réussissent pas moins involontairement, par un juste retour du hasard, à punir ceux qui abusent d'eux : c'est le cas de Mahuet badin qui casse un pot sur la tête de son professeur, c'est aussi celui du pauvre savetier qui se venge de son riche confrère qui avait voulu abuser de sa crédulité *(Farce des deux savetiers).* La farce, si elle admire la ruse [5], ne l'admet et ne la prône que lorsqu'elle est justifiée par la démesure de la victime. Le rire de la farce est un rire franc,

5. Et l'évolution du personnage du badin en témoigne : devenant un sot feint qui sait tirer les marrons du feu en utilisant les faiblesses d'autrui, il apparaîtra comme le héros-type de la farce.

gardien de la norme, plus empirique et réaliste que philosophique et qui plaide en faveur d'une morale du juste milieu — du « chacun à sa place » — fondée sur l'acceptation de son sort dans la dignité et la conscience des responsabilités.

L'individu et la société

La farce ne limite pas son terrain d'étude à la cellule familiale; elle déborde largement ce cadre pour nous présenter des scènes urbaines ou champêtres, scènes de tavernes ou de marchés, dans lesquelles apparaissent des individus de toutes classes, toutes professions, tous métiers. Est-ce à dire qu'elle résout par là un désir de satire sociale? Nous ne le pensons pas car, là encore, la satire de classe, si satire de classe il y a, reste sur le plan de l'individu, ce qui n'a rien de surprenant dans un théâtre de personnages.

La farce, genre propre au théâtre bourgeois et populaire, semble s'être fort peu souciée des classes auxquelles elle n'était pas destinée. Elle met beaucoup plus rarement que le fabliau et la nouvelle la noblesse sur la sellette, et lorsqu'elle le fait, c'est sous les traits de quelques types bien individualisés : petits seigneurs terriens qui prétendent exercer leur droit de cuissage (comme le gentilhomme de la *Farce de Naudet*) ou utilisent les ressources de leur fortune pour satisfaire leur appétit (comme les deux seigneurs de la *Farce du meunier et de la meunière*) et qui, en bonne et saine justice, se voient tromper selon la loi du talion. Ajoutons que les dames de la noblesse sont plus malmenées, puisque, de gré ou de force, elles doivent accorder leurs charmes au vilain qui entend ainsi se venger de leur mari. Lorsque le hobereau villageois n'est pas déterminé par sa seule sensualité, il apparaît sous les traits d'un vantard démuni qui, en toute inconscience, refuse de sortir du rêve qu'il se construit, comme dans la farce tardive (1525) du *Gentilhomme et son page.* En fait donc, le noble n'est qu'un élément nécessaire d'une intrigue, et il est utilisé comme tel en dehors de tout critère spécifique de classe : il n'est qu'un trompeur qui justifie son assurance par sa position sociale, descendant presque bourgeois du seigneur de la pastourelle.

C'est sous un aspect similaire qu'apparaît le clergé représenté dans la farce par ses membres subalternes, ceux que la vie quotidienne permettait de côtoyer, moines et curés, qui, tous, caractérisés par un appétit sexuel démesuré, sont aussi fourbes que jouisseurs et dont la ruse obstinée est facilitée par leur appartenance sociale. Mais cette peinture simpliste et uniforme n'est pas destinée à faire la satire d'un comportement de classe, en soulignant l'inobservance des vœux et plus particulièrement de celui de chasteté. Le choix d'un tel personnage se justifie bien plus par le désir de trouver un type de trompeur dont la fonction sociale interdit au premier abord de se méfier : il est avant tout l'amant-type du trio vaudevillesque hérité du fabliau. Mais, fait remarquable qui nous permet de mieux saisir l'esprit de la farce, alors que dans le fabliau l'amant-moine était généralement puni et recevait un châtiment corporel pouvant aller jusqu'à l'émasculation *(Du prebstre crucifié),* il parvient dans la farce à ses fins et se sort de ses aventures à son honneur *(Farce de Frère Guillebert, Farce de Pernet qui va au vin);* la farce voit plus en lui l'homme privilégié que le prêtre : expression ambiguë de rancunes sociales.

De la même manière, la bourgeoisie n'apparaît pas en tant que classe dans la farce. Jusqu'au XIIIe siècle, il n'existait pas de claire distinction entre le bourgeois et le vilain et même lorsqu'aux siècles suivants la bourgeoisie se fractionne en petite bourgeoisie et patriciat — qui opère une mainmise progressive sur l'appareil de l'État — il faut un certain temps pour que se dégagent les critères abstraits de la classe; c'est sans doute la raison pour laquelle elle n'est pas visée en tant que telle dans la farce. Comme le remarque J. V. Alter *(les Origines de la satire anti-bourgeoise en France au Moyen Age et au XVIe siècle,* Droz, 1966), la forme dominante de la satire anti-bourgeoise reste pendant le deuxième âge féodal une satire professionnelle. Ce n'est que plus tard qu'on attribuera à leur caractère de classe les aspects censurés à titre individuel pendant le Moyen Age. Et même la satire professionnelle reste très limitée; la caractérisation d'un personnage par sa profession ne lui ajoute guère qu'un trait traditionnel : le franc-archer est un vantard fanfaron, l'enseignant un pédant, le médecin un ignorant (qui n'est capable que d'aider un époux en difficulté : *le Médecin et le badin*), le savetier un époux berné. Quant au ramoneur et au chaudronnier, ils n'apparaissent que parce que la nature de leur travail permettait l'utilisation d'un langage métaphorique pour traduire des obscénités.

Le plus souvent la profession n'ajoute rien aux caractéristiques humaines et morales du personnage et elle n'est guère spécifiée que lorsqu'elle apporte un élément nécessaire au déroulement de l'intrigue, un décor (la *Farce du pâté et de la tarte* nécessite un pâtissier) ou lorsqu'elle justifie un comportement qui conditionne l'action *(Farce du pardonneur, du triacleur, de la tavernière).* Le reste du temps, le personnage n'est défini que par son nom propre ou par un terme vague : l'homme, la femme, la voisine, etc. La farce s'intéresse plus à l'homme qu'à la profession.

Il faut néanmoins faire une place à part aux professions qui relèvent du commerce et de la justice et qui, comme telles, sont vilipendées dans la farce. Elles correspondent aux rapports quotidiens les plus courants de la vie sociale : c'est ce qui explique leur apparition sur la scène. Les commerçants, et plus particulièrement les meuniers, taverniers, tripiers, couturiers, se caractérisent tous par leur âpreté au gain qui les conduit à voler sur le poids, la mesure ou la qualité. C'est là un trait qui traduit l'antagonisme naturel entre consommateurs et vendeurs et qui, dans la farce, amène les premiers à se venger des seconds — taverniers ou tripiers — en consommant sans payer. Mais ce n'est là qu'une peinture rudimentaire et, excepté le célèbre drapier Guillaume — dont la psychologie est plus complexe —, les commerçants restent des personnages de second plan, simples personnifications de ce qui paraît être le défaut principal de la profession. Lorsqu'ils prennent plus d'importance, ils redeviennent les individus dont les particularités morales l'emportent sur la caractéristique professionnelle, comme le couturier d'*Esopet* qui se distingue par une avarice outrée.

Quant aux scènes de justice qui clôturent de nombreuses farces *(Farce du Pect; la Mère, la fille, le tesmoinq, l'amoureux, l'official;* la *Farce de Jehan de Lagny;* la *Farce de deux savetiers;* la *Farce de Pathelin,* etc.), elles ne sont pas conçues pour faire la satire de la justice, mais bien plutôt celle des plaideurs, dont la déraison s'exprime dans la nature des différents qu'ils portent au tribunal. Ce sont pour la plupart des jugements burlesques, imités des *causes grasses* basochiennes, et qui ne remettent pas en cause les membres du tribunal, même si leur sentence est absurde par excès de logique. Les juges sont de braves gens qui, tout au plus, montrent un peu trop leur lassitude en s'assoupissant pendant les audiences; ils ne sont guère que les éléments obligés d'un décor.

La farce ne s'intéresse donc à l'homme qu'en tant qu'individu; pour elle les rapports sociaux sont déterminés par les qualités morales et son seul souci est de faire rire de tout ce qui ne respecte pas une éthique populaire de la juste mesure, du bon sens et de la connaissance raisonnée de soi.

La sottie : satire sociale et politique

La sottie, elle, place son ambition à un autre niveau. Comme le laissent présager sa mise en scène et ses types de personnages qui recherchent la généralisation de l'allégorie ou l'anonymat de la livrée de folie, renonçant au nom propre qui individualise au profit du numéro qui égalise, elle se veut théâtre d'idées, théâtre engagé. Elle s'attribue ainsi une fonction sociale, et l'affirme dès la première pièce que l'on peut considérer comme appartenant au genre, la *Moralité faicte en foulois pour le chastiement du Monde en 1427,* dans laquelle le fou Toussaint déclare (v. 945-960) :

Or pourroit aucun demander
Dont vient cela qu'aucuns scevent
Ainsi parler, cuidant qu'ils resvent.
Mais la cause y est bonne et belle,
Toute nottoire et naturelle.
Vous savés que telz foulz ne chaut
Quel temps il face, froit ou chaut,
Et sont souvent en grans périls,
Mais ils ont toux leurs esperis

Tant destoubrez et despeschez
Qu'il ne sont de riens empeschez
Par faintasiez n'autrement.
Pour ce voient il clerement
Les chousez et puis lez recitent
Tout au vray, par quoy il s'acquittent
Et font envers Dieu leur devoir.

C'est là reconnaître au sot un rôle d'observateur objectif et de censeur qui, dans toutes les pièces où il apparaît, doit l'amener à dévoiler les vices de la société à laquelle il appartient à son corps défendant et dont il essaie de se détacher, à dénoncer les abus commis par ceux qui la gouvernent et à stigmatiser le comportement des classes dominantes qui se disputent le pouvoir dans le chaos qui résulte de l'éclatement du monde féodal. A l'inverse de la farce dont la satire ne dépasse pas le plan individuel, la sottie, elle, récuse ce simple niveau; elle s'intéresse plus à la fonction sociale de l'individu qu'à sa personne morale et elle prend, en quelque sorte, la voix de l'« opinion publique » pour « transporter sur la scène la satire dirigée contre les diverses classes de la société ».

Il est évident que toutes les sotties ne participent pas également à cet idéal : les *sotties-parades* et les formes dégénérées que sont les *sotties-farces* visent surtout à divertir. Les formes les plus chargées de significations sont évidemment les *sotties-jugements* et les *sotties-actions,* qui d'ailleurs utilisent des modes de transmission et d'action sur le public différents et dus à leur propre nature. En effet, alors que les premières ont tendance à expliciter verbalement leur satire dans un dialogue dont le déroulement doit à la structure de la pièce son sens contestataire, les secondes préfèrent se limiter à présenter symboliquement, en des tableaux scéniques suggestifs, les causes et les effets du malaise moral et social, laissant au public le soin de juger. Au lieu d'être explicite, expression directe de la pensée de l'auteur — à travers l'antiphrase ou l'ironie de la *pronostication* —, la satire se situe ici au niveau de l'interprétation et elle est l'œuvre du public.

Quels que soient ses modes d'expression — plan verbal

ou plan visuel —, la satire est une dans son objet : c'est Chascun, la Chose Publique, le Temps, les Gens qui apparaissent au banc des accusés; ce sont aussi les *galants* (sot-ecclésiastique, fol-gentilhomme, fol-laboureur, fol-marchand) qui s'ébattent sur scène sous la haute direction de Folie. Pourtant — mais peut-être est-ce là un des effets de la censure — la sottie semble avoir comme souci premier de souligner une satire sociale de caractère essentiellement moral, et en cela elle se situe sur un plan parallèle à celui de la farce. C'est à l'amoralisme social qu'elle s'en prend d'abord, à cet amoralisme qui transparaît dans le comportement des groupes et des classes et qui aboutit à faire de la société un « monde à l'envers ». En effet, l'image que donnent de la société la plupart des sotties est celle d'un monde en proie à la folie, d'une humanité prise dans un cercle infernal. Car, si *le Temps* est ce que le font *les Gens,* à son tour il contamine *le Monde* et l'entraîne à la démence. Partout la Folie règne en maîtresse et *Chascun* ne songe qu'à la courtiser, à se ruiner pour elle afin de la suivre dans la débauche et le vice; jamais on n'a autant sacrifié l'être au paraître : c'est le règne de la futilité, de l'apparence, que caractérise l'asservissement à une mode changeante sur les commandements de Folie :

Soyez en vos faiz singuliers
Et comme des princes vestus
Et fussiez filz de charpentiers,
Fiers, orgueilleux, folz et testuz
Dictez que vous avez des escus
La ou vous estes empreunteurs.

Tout le monde le reconnaît :

Se ung homme est remply de science
Et n'est gourrierement vestu,
De tout le monde, c'est l'usance
Ne sera prisé ung festu;
Mais, s'il n'a vaillant qu'ung escu
Et s'il est d'abis reparé
Combien qu'il soye malostru,
De chascun sera honoré.

Quand l'homme est jugé à son habit, c'est signe que toutes les barrières sociales, toutes les barrières de classes se sont effondrées. Plus grave encore, c'est signe que les interdits moraux ont été transgressés et qu'au respect de la raison, de l'esprit s'est substitué l'obéissance à l'instinct. Et, de fait, tous les textes font état de la sensualité exacerbée du temps, de la recherche constante de la volupté et de la luxure.

La rupture des interdits sociaux et moraux, le désir de paraître et la recherche instinctive du plaisir entraînent évidemment la société dans une quête effrénée de l'argent sur lequel est fondée la nouvelle échelle des valeurs :

> Le Temps présent est abattu
> Et aveuglé par avarice;
> Tout y va, tout tire à ce vice
> Dont le commun ne se peult taire
> Car il est destruict.

Et ce n'est pas là une simple prise de position au nom d'une morale religieuse, c'est un véritable cri d'alarme qui résulte de la prise de conscience du pouvoir et des effets du capital, car :

> Toult le Monde obtient par argent
> Dignités, prebendes, ofices;
> Par argent il a benefices;
> Par argent fort et foyble blesse.

Les anciens cadres ont éclaté sous l'effet de cette « psychose de l'argent à gagner » :

> Aujourd'huy par tout y fault prendre
> A droit a tort, sans compte rendre :
> C'est la façon du Temps qui court

et les anciennes valeurs sociales et morales qui reposaient sur le respect des services directs et réciproques de chaque classe — qui assuraient l'équilibre — ont disparu.

C'est vraisemblablement la constatation de ce fait qui conduit la sottie à donner à sa satire des classes un aspect surtout moral. Toutes se caractérisent par le refus d'assumer les vertus inhérentes à leur fonction (*cf.* la *Sottise* d'A. de la Vigne). Les membres du clergé, du plus haut placé au plus bas de la hiérarchie n'observent plus leurs vœux. Les évêques, les cardinaux — voire le pape — délaissent le spirituel pour le temporel et ne songent qu'à gouverner et à faire la guerre. Non seulement ils sont corrompus, mais encore luxurieux et ne recherchent que les plaisirs mondains. Comment, dans ces conditions, s'étonner que les simples prêtres oublient la nature de leur mission sur terre, expédient les offices, manquent de la charité la plus élémentaire, ne songent qu'à se livrer à la débauche et souvent même monnaient leurs services. Le pape vend bien des pardons! D'ailleurs, tout cela n'est-il pas normal, lorsque la vénalité des charges se pratique avec une telle ampleur : c'est l'argent qui tient lieu d'intelligence et fait pourvoir des ignorants. Ce sont là les griefs que résume le médecin dans la *Sottie du Monde :*

Et te troubles tu pour cela
Monde? Tu ne tu troubles pas
De voyr ces larrons attrapars
Vendre et achepter benefices,
Les enfants ez bras des nourrices
Estre abbez, evesques, prieurs,
Chevaucher tres bien les deux sœurs,
Tuer les gens pour leur plaisir,
Jouer le leur, l'aultruy saisir,
Donner aux flatteurs audience,
Faire la guerre a tout outrance
Pour un rien entre les chrestiens?

De la même manière, la noblesse a relégué dans l'oubli toute vertu chevaleresque, ce qui n'a rien d'étonnant, car :

Par argent plus que par combatre
Tout le Monde est faict gentillatre

Pourtant, et c'est là que se marque l'originalité de la sottie, de nombreuses pièces prennent la défense de la vraie noblesse :

Le III : Cela trop desrogue Noblesse;
Noblesse s'acquiert par proësse
Le II : Noblesse vient de noble cœur
Et non pas d'un vilain moqueur.

La sottie s'en prend en fait à la récente noblesse de robe, à cette caste des grands magistrats et des fonctionnaires des finances qui avaient acheté le titre avec la charge, et elle trahit par là son esprit de satire anti-bourgeoise. C'est à cette grande bourgeoisie qui s'est coupée de sa classe que s'en prennent les auteurs des sotties. Tout-le-Monde porte le vêtement complexe de Noblesse-Eglise-Marchandise, mais c'est à Marchandise seule qu'il le doit. Et, comme on peut s'y attendre, au fur et à mesure que l'on s'avance vers la fin du XVIe siècle, la satire des marchands croît en importance et en vigueur : non seulement ils sont « fourrés de Malice » (D, V), mais ils font preuve d'une cupidité qui les conduit à la perte de tout sens moral; ils se conduisent selon Tromperie, Usure, Faulse Mesure, Parjurement, Fainctise et Avarice (P, II, 10). Beaucoup plus que la farce, la sottie développe ces griefs à l'encontre des marchands de denrées d'usage courant, marchands de bois, de chevaux, boulangers, meuniers, taverniers, couturiers qui établissent leur fortune sur la faim du peuple.

Dans une telle conjoncture, toute justice a disparu et ceux qui la représentent, magistrats, procureurs, avocats ne songent qu'à s'enrichir et :

Si un sac ne rend gresse ou moelle
Il n'est de longtemps visité.

Constamment les mêmes griefs reviennent :

Malice : Justice faict ou tort ou droict
Voire, mais c'est a qui el veut !

Le II : On veoyt mainct pauvre qui s'en deult.
Le III : On veoyt mainct riche qui s'en rit.

En fait la sottie se place surtout sur le plan moral pour stigmatiser les différentes classes sociales. Ce qu'elle dénonce, c'est avant tout la perte des valeurs morales qui résulte de la toute-puissance de l'argent :

> Trop ardemment aymer pecune
> Fait gens aller oblicque voye.

Et la plupart des pièces se contentent d'être des illustrations de ce cheminement par « l'oblicque voye ».

Mais la satire morale débouche en maints endroits sur une satire nettement politique, car la sottie ne se prive pas de dénoncer les effets immédiats de la perte des valeurs morales, chez les gouvernants, chez ces « gens nouveaulx », qui, pour s'enrichir eux aussi, mènent le Monde de Mal en Pis et font de la Chose Publique une prostituée. En général cependant, le roi n'est pas directement attaqué (de son vivant tout au moins), et, précaution à l'égard de la censure ou quête d'une alliance, la sottie abonde en déclarations de loyalisme monarchique. Ce sont les conseillers qui l'entourent et qui sont accusés d'aveugler la personne royale que la sottie prend violemment à partie et souvent nommément : le Premier ministre Georges d'Amboise et son frère Louis (*Sottie de l'Astrologue* et *Sottise* d'A. de la Vigne), Guillaume Briçonnet, et bien d'autres *(les Chroniqueurs).*

La sottie prend donc position politiquement, mais sans jamais attaquer le principe même de la monarchie. Même lorsqu'elle se livre à une revue satirique de la politique extérieure, elle reste des plus vagues. Dans l'ensemble, excepté les guerres d'Italie qui ont toujours été considérées comme une inutile opération de prestige, on accepte l'orientation de la politique extérieure, même si l'on murmure contre son coût.

En fait, la sottie se borne à actualiser les quatre griefs qui apparaissent, dans le *De Statu mondi actuali* des *Gesta Romanorum,* comme les causes du désarroi de la société :

la justice est soumise aux caprices du pouvoir; l'autorité n'est plus dans les mains d'un seul; les agents de l'État ne songent qu'à le piller; la loi divine est bafouée.

Mais la sottie ne se borne pas — bien que ce ne soit pas là un de ses moindres aspects — à être un cahier de doléances traditionnelles, même si les textes regorgent d'allusions à la vie chère, aux charges trop lourdes, à l'insécurité du travail et du commerce et à la misère du peuple; elle ne se borne pas non plus à stigmatiser les vices et à dénoncer les coupables quand la censure le lui permet, elle sait aussi se faire prophétique et suggérer les améliorations à apporter pour faire cesser le vent de folie qui souffle sur le royaume. Non seulement elle cherche à effrayer pour guérir, en montrant que ceux qui se laissent assujettir par Folie ou Folle Bobance vont irrémédiablement à leur ruine, non seulement elle lance violemment l'anathème contre les fauteurs de désordre, mais encore elle suggère des moyens pratiques pour faire cesser le scandale actuel : c'est l'Astrologue qui préconise le rétablissement d'une saine justice fondée sur le Droit, qui rappelle à chacun la nécessité de remplir sa fonction avec une conscience professionnelle rigoureuse et qui, surtout, demande au prince d'assumer la mission pour laquelle il a été désigné, c'est-à-dire penser à son peuple, faire régner la paix et renvoyer les conseillers corrompus qui l'entourent — ainsi que le fait symboliquement Guippelin dans la *Sottie du Roy des Sots.* Mais il est évident que de tels conseils — qui apparaissent parfois explicitement et toujours en filigrane dans nos pièces — expriment les désirs d'une certaine classe, car si l'on demande au roi de renvoyer à leur mission spirituelle ses conseillers ecclésiastiques corrompus, c'est pour lui proposer de les remplacer par des représentants de cette élite à laquelle appartiennent les auteurs mêmes de nos pièces, cette « jeunesse contestataire » démunie mais cultivée, génération nouvelle de futurs parlementaires qui compose les Basoches : Guippelin est un sot qu'il a suffi de débarrasser de son fameux *fillet* composé de *Mal vestu, Faulte d'argent* et *Crainte juvenale* pour qu'il puisse faire montre de ses capacités en réformant le royaume *(Sottie du Roy des Sots),* et c'est à des sots qu'il est ordonné de *revisiter* la Chose Publique *(Sottie des sots fourrés de Malice).* La sottie se révèle donc comme le moyen de lutte et d'opposition politique choisi par la moyenne bourgeoisie pour exprimer au grand jour ses revendications et son programme, en une époque où apparaissent les premiers symptômes d'une lutte des classes. Ce que propose la sottie, c'est une sorte de monarchie éclairée de type parlementaire, appuyée sur la classe moyenne, et qui confierait ses charges les plus importantes aux hommes intellectuellement capables et représentatifs de l'opinion publique.

On se doute qu'une telle prise de position, pour générale et respectueuse de l'autorité royale qu'elle fût, ne devait pas manquer d'inquiéter les hommes en place, ainsi que le reconnaît déjà *le Monde* — qui représente le pouvoir — dans la *Moralité de 1427.* Aussi allaient-ils réagir par une censure plus ou moins violente selon les régimes, mais dont on trouve un écho dans presque toutes les pièces et qui, vers le milieu du XVIe siècle, finira par avoir raison du genre. Cette sévérité nous permet de prendre conscience de l'importance prise — et reconnue — par le théâtre, et plus particulièrement par la sottie, dans la vie du temps, ainsi que de sa force comme arme de combat politique. D'ailleurs le pouvoir lui-même avait jugé cette arme à sa juste valeur, puisqu'il n'avait pas manqué de l'utiliser à son profit pour populariser sa politique : c'est vraisemblablement Louis XII qui a été l'instigateur de la *Sottie du jeu du Prince des Sots* de Gringore, pièce de commande destinée à dresser le peuple contre la personne du pape Jules II (qui, après avoir rompu l'alliance française, essayait de soulever l'Italie contre ses anciens alliés) et à désamorcer ainsi ses réactions prévisibles à l'annonce d'une guerre probable.

Ainsi farce et sottie se rejoignent et se complètent pour former un tout qui traduit les préoccupations et le niveau de réflexion atteint par une classe qui cherche à se définir en tant que telle, un tout qui nous permet de saisir la mentalité populaire et bourgeoise à la fin du Moyen Age. L'une s'intéresse à l'individu sans déborder, dans sa satire morale, bonhomme et souriante, d'une éthique fondée sur le bon sens empirique et quotidien; l'autre s'attache aux rapports entre les individus qui composent la société, elle se fait l'écho et l'avocat d'une sorte de conscience collective, ce qui nécessairement fait déboucher son action sur le plan politique. L'une veut former un individu sain et équilibré, l'autre revendique pour cet individu la place à laquelle il a droit dans la société. Ces finalités différentes, bien que complémentaires, devaient conditionner leur avenir : alors que la farce, peu dangereuse pour l'autorité, se survit dans la comédie du XVIe siècle et jusque chez Molière, la sottie, au contraire, s'éteint progressivement au milieu du XVIe siècle pour disparaître à jamais, ayant perdu le combat qui la situait en dissidence avec le pouvoir, bien qu'elle fût à tous égards une des formes les plus modernes de notre théâtre national.

Conclusion : une image de la société en mouvement

De même que les grands *mystères* du XVe siècle et de la première moitié du XVIe traduisent, avec tous leurs fastes et leur « humanisme », l'accaparement par la haute bourgeoisie d'un drame liturgique qui quitte l'église pour la place publique, l'étonnante floraison du théâtre profane comique à la même époque peut être considérée comme le reflet de la prise de conscience et de l'émancipation de la moyenne bourgeoisie qui, entraînant dans son sillage le « menu » peuple, essaie de faire prévaloir ses conceptions morales et ses droits dans le nouvel ordre du monde et des choses.

Bien sûr, dès le XIIIe siècle, s'étaient manifestées quelques tentatives pour détacher de ses assises rituelles un théâtre nouveau ayant un caractère résolument profane. Mais, outre qu'elles furent localisées à la très particulière région d'Arras, ces tentatives, destinées à une élite, ne consistaient guère qu'en des adaptations à la scène de genres littéraires préexistants (vies de saints, évangiles, pastourelle) qui ne parvenaient pas à éliminer totalement le recours au merveilleux. Bien sûr, à la même époque, les jongleurs tendaient de leur côté à une formulation dramatique de leurs *dits* dont certains, comme le *Dit de l'Erberie,* sont presque des monologues dramatiques. Mais l'heure du véritable théâtre profane comique n'avait pas encore sonné.

Ce n'est véritablement qu'après la guerre de Cent Ans et les bouleversements qui en ont résulté que pourra naître un théâtre profane comique original et ne devant rien au passé. C'est alors que la moyenne bourgeoisie, exclue de l'organisation du théâtre officiel des *mystères* et des *entrées,* va dégager peu à peu sa propre expression dramatique de la fête populaire, conçue comme un droit sacré à la libération des esprits et des instincts. Les premières manifestations dramatiques ne sont en effet qu'un moyen de braver par le rire les interdits et les barrières sociales : elles sont des parodies, parodies de l'autorité sous tous ses aspects quotidiens, parodies du sacré et du légal, parodies de ce qui est reconnu et admis, mais aussi parodies de ce qui est inconnu et effraie, de l'occulte, en un siècle où l'ésotérisme se développe et où l'astrologie intéresse tout le monde. Ce sont les *sermons* joyeux, les *mandements, testaments* et *pronostications* burlesques. Mais ces parodies font prendre conscience de l'existence de structures dramatiques comiques; elles permettent de faire devenir théâtre ce qui n'était qu'éclat de rire libérateur, dès lors que l'identification du récitant au personnage social parodié devient leur finalité première. Ainsi, avec les monologues dramatiques peuvent apparaître les premiers types comiques. Puis, très vite, d'un jeu fondé sur un échange entre un récitant et un public-acteur, on tend à passer à un théâtre organisé présentant une action dramatique qui fait naître le rire par elle-même en dehors de la participation d'un public devenu simple spectateur. Sur une estrade de fortune, ce sont alors deux farceurs qui se jouent un bon tour, un mari et une femme qui se disputent ou, dans des pièces à l'élaboration plus technique, deux de ces types nés avec le monologue dramatique qui s'opposent en un duel verbal. Puis, insensiblement, on ressent le besoin de développer ces sketches en de véritables intrigues : on complète la parade par un retournement de situation, on étoffe l'action de péripéties qui reposent sur des artifices scéniques, on va même jusqu'à adapter à la scène les legs du fonds narratif populaire dans toute leur complexité. C'est ainsi que peu à peu se fait jour la véritable nature de l'art dramatique, sa spécificité et ses contraintes, mais aussi ce que doit être sa finalité. Et cette prise de conscience conduit les auteurs à renoncer aux entrelacements, à épurer leurs intrigues pour les rendre plus vraisemblables, mais aussi plus figuratives et plus expressives; elle les conduit enfin à mettre en scène de véritables caractères et à s'orienter vers la comédie psychologique.

Mais, en dehors de ce théâtre de divertissement et parallèlement à lui, la moyenne bourgeoisie — ou tout au moins ses éléments jeunes et par nature contestataires et agités, clercs et écoliers — allait utiliser la scène comme tribune pour faire entendre ses doléances et ses opinions politiques avec les sotties qui — sous l'étendard de la folie-sagesse — combinent les techniques verbales, mises au point lors du passage du monologue au dialogue, à l'utilisation de l'allégorie empruntée à la moralité, dans des structures figuratives inhérentes au milieu dans lequel et pour lequel elles étaient écrites et jouées.

Bel exemple de volonté unitaire, les deux genres majeurs de ce théâtre naissant, de ce théâtre de classe, la farce et la sottie sont complémentaires et forment un tout qui traduit la vision du monde et les obsessions de cette moyenne bourgeoisie qui, évincée du pouvoir, cherche à se définir et à réunir ses forces pour trouver dans la cité la place à laquelle elle a droit. Mais l'histoire de la naissance du théâtre comique au XVe siècle est aussi celle d'une promotion intellectuelle. Et, chose remarquable, la farce et la sottie, ces deux genres mineurs au XVe siècle, survivront au théâtre officiel, au faste et au luxe des grands *mystères.* Même la *sottie* qui avait dû à son caractère incisif sa répression par le pouvoir, survit encore localement à la fin du XVIe siècle grâce à des troupes comme l'*Infanterie Dijonnoise* et, en 1625, Malherbe parle encore, comme d'une chose courante, des sotties jouées à l'Hôtel de Bourgogne. D'ailleurs, en plein milieu du XVIIIe siècle, des séquelles du genre apparaissent encore dans le théâtre de la Foire Saint-Germain avec des pièces comme l'*École d'Asnières* ou l'*Arbre de Cracovie.* Quant à la farce, les nombreuses rééditions de recueils entre 1530 et 1550 — et même encore au début du XVIIe siècle : *Recueil Rousset, Recueil de Copenhague* — prouvent, ainsi que l'affirme Pasquier, qu'elle avait étendu sa popularité jusque chez les lettrés. Comme le signale B. C. Bowen, « le public des farces à cette époque est bien plus large que celui des comédies, malgré les efforts méritoires de la Pléiade dont les membres et les disciples ne sauraient assez dédaigner cette espèce théâtrale. Pendant que ces auteurs écrivent pour une élite très restreinte et ne parviennent pas toujours à faire jouer leurs pièces, la farce se joue partout, sur les tréteaux de la foire, chez les grands et à la Cour et dans la plupart des représentations de troupes qui terminent leur spectacle par une farce comme jadis on terminait la représentation de mystère ou de miracle. »

L'histoire de la naissance du théâtre profane comique et du développement de ses deux genres majeurs, la farce et la sottie, est donc en fait celle de l'évolution de la société française; elle illustre déjà au XVe siècle — comme pour donner raison aux théories cycliques de Vico — l'éveil prémonitoire de la force qui, après avoir franchi le creux de la vague, fera plus tard la Révolution, et elle est en même temps la précoce affirmation de ces deux tendances de l'esprit français que porteront à leur plus haut niveau Molière et Voltaire.

Note bibliographique

Plutôt que de reprendre ici la liste limitée des ouvrages les plus importants sur le théâtre profane médiéval que nous avons généralement cités en note ou dans le cours du texte, et pour éviter une liste exhaustive trop importante, nous préférons renvoyer le lecteur curieux à l'excellent travail de Mme Halina Lewicka, *Bibliographie du théâtre profane français des* XVe *et* XVIe *siècles* — Institut de Recherche et d'Histoire des textes, série *Bibliographies — Colloques — Travaux préparatoires,* Imprimerie du C.N.R.S., Paris, III, 102 p.

Index des pièces citées

DATE DUE